YBM 공식 인증 수험서

딱! 한권으로 끝내는 코딩 자격증

COS 2급 스크래치

최신 출제 유형 완벽분석

김미순·박희정 저

YD 연두에디션
Edition

딱! 한권으로 끝내는 코딩 자격증
COS 2급 스크래치

발행일 2020년 2월 20일 초판 1쇄

지은이 김미순 · 박희정

감 수 한숙진 · 박혜림

펴낸이 심규남

기 획 염의섭 · 이정선

표 지 이경은 **| 본 문** 이경은

펴낸곳 연두에디션

주 소 경기도 고양시 일산동구 동국로 32 동국대학교 산학협력관 608호

등 록 2015년 12월 15일 (제2015-000242호)

전 화 031-932-9896

팩 스 070-8220-5528

ISBN 979-11-88831-42-5

정 가 16,000원

최신기출문제

기출유형 파악하기 정답

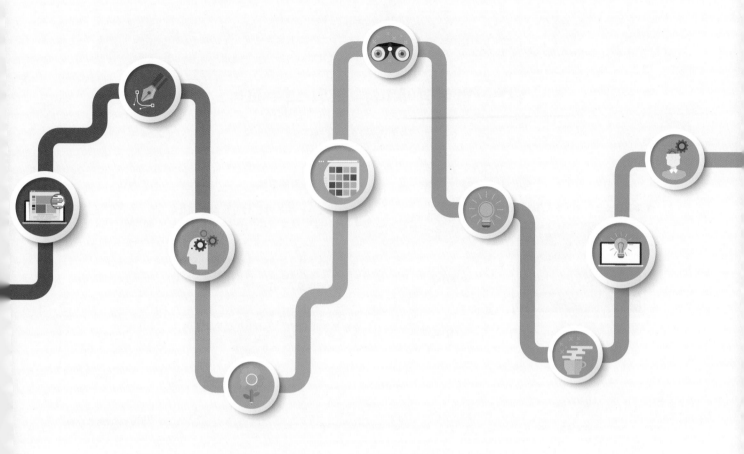

COS 자격증 소개

01 코딩 교육 정부정책

4차 산업혁명에 따른 코딩 의무교육
"이해하기 쉬운 프로그래밍부터 시작하세요!
첫 시작은 YBM COS자격증입니다"

초중고교 소프트웨어 교육강화방안

코딩활용능력평가

	현행	강화 방안	적용 시기
초	'실과'에서 ICT 단원 12시간교육	- '실과'에서 소프트웨어 기초 17시간 이상 교육 - 알고리즘, 프로그래밍 체험과 정보윤리의식 교육	2019년
중	'실과'가 선택과목	- '정보'를 필수과목으로 바꿔 34시간 이상 교육 - 컴퓨팅 사고에 기반한 문제 해결 능력과 간단한 프로그래밍, 알고리즘 교육	2018년
고	'정보'가 심화선택 과목	- '정보'를 일반선택과목 변경 - 다양한 분야와 융합한 알고리즘, 프로그램 설계 등 교육	2018년

02 COS자격증 시험소개

코딩활용능력평가

COS(Coding Specialist)란? Scratch, Entry에 대한 자격증으로 높은 수준의 프로그래밍 활용능력이 있음을 증명 할 수 있습니다.

COS(Coding Specialist)는 시작부터 종료까지 100% 컴퓨터상에서 진행되는 **CBT(Computer Based Test)**로 평가 방식이 정확함은 물론 시험 종료 즉시 시험 결과를 알 수 있습니다.

대학교에서 진행하는 IT교육프로그램(코딩)에는 공신력있는
"YBM 코딩자격증으로 평가"

03 | COS자격증 시험구성

자격증 Level 및 합격기준 응시료 안내

1급 Advanced	2급 Intermediate	3급 Basic	4급 Start
검정방법: 실기시험 검정시험형태: -10문제(실기) -시험시간(50분) 합격기준: 700점이상	검정방법: 실기시험 검정시험형태: -10문제(실기) -시험시간(50분) 합격기준: 600점이상	검정방법: 실기시험 검정시험형태: -10문제(실기) -시험시간(40분) 합격기준: 600점이상	검정방법: 실기시험 검정시험형태: -10문제(실기) -시험시간(40분) 합격기준: 600점이상
응시료 ₩25,000	응시료 ₩23,000	응시료 ₩20,000	응시료 ₩20,000

YBM 한국 TOEIC 위원회

04 | COS시험 소개

테스트 특징

- 100% CBT방식
- Input/Ouput 평가 가능
- 시험 결과 제출직후 결과 확인 가능

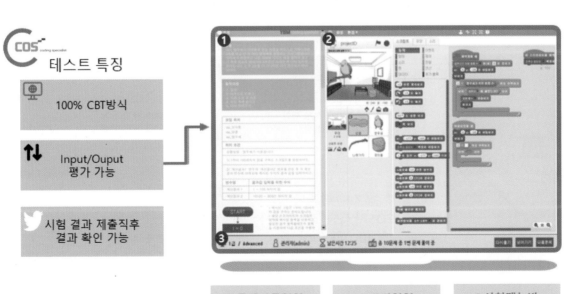

1.문제지문영역   2.코딩영역   3.시험매뉴바

YBM 한국 TOEIC 위원회

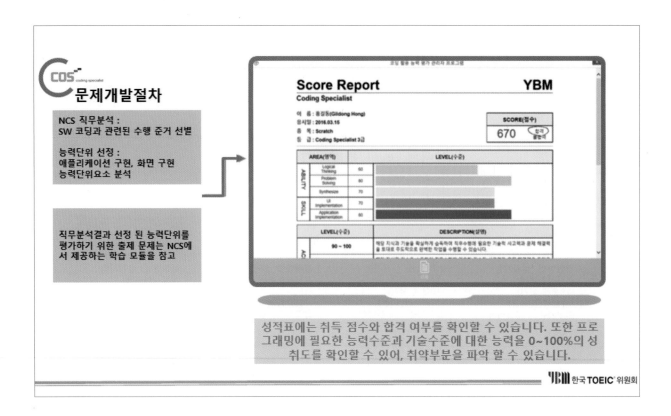

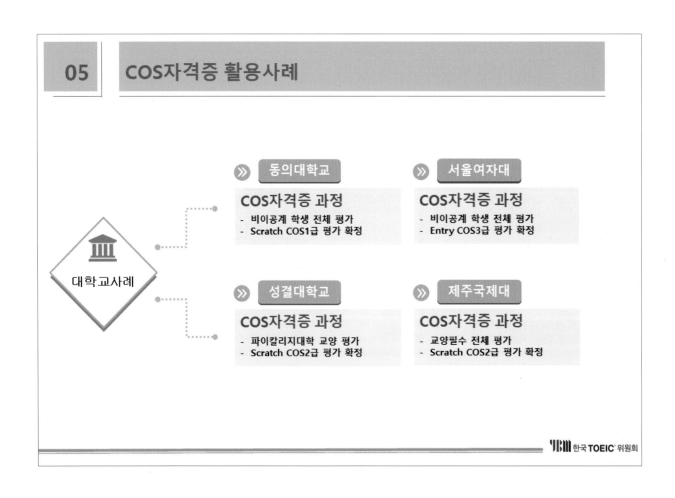

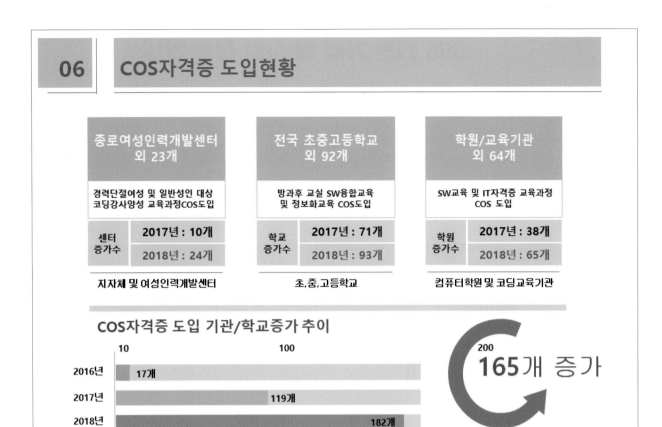

06　COS자격증 도입현황

종로여성인력개발센터 외 23개		전국 초중고등학교 외 92개		학원/교육기관 외 64개	
경력단절여성 및 일반성인 대상 코딩강사양성 교육과정COS도입		방과후 교실 SW융합교육 및 정보화교육 COS도입		SW교육 및 IT자격증 교육과정 COS 도입	
센터 증가수	**2017년 : 10개**	학교 증가수	**2017년 : 71개**	학원 증가수	**2017년 : 38개**
	2018년 : 24개		2018년 : 93개		2018년 : 65개
지자체 및 여성인력개발센터		초,중,고등학교		컴퓨터학원 및 코딩교육기관	

COS자격증 도입 기관/학교증가 추이

	10	100	200
2016년	17개		
2017년	119개		
2018년	182개		

165개 증가

YBM 한국 TOEIC 위원회

COS 회원 가입 및 시험 접수 안내

1. 회원 가입하기

❶ COS 자격 검정 사이트(www.ybmit.com)에 접속 한 후 〈로그인〉 클릭합니다.

❷ 〈회원가입〉 클릭합니다.

❸ 〈모두 동의합니다.〉를 클릭합니다.

❹ 회원가입하고자 하는 수험생 아이디, 비밀번호, 비밀번호 재확인, 이름, 생년월일, 이메일, 휴대폰 입력합니다. 인증방법 중 휴대폰, 이메일 인증 중 한 가지를 선택한 후 인증을 진행합니다.

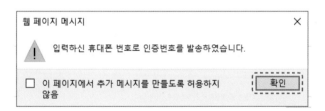

❺ 휴대폰으로 본인 인증 진행시 아래와 같은 대화상자가 표시됩니다. 〈확인〉을 클릭합니다.

❻ 휴대폰으로 전송된 인증번호를 입력 한 후 〈확인〉을 클릭하면 아래와 같은 〈확인〉 창이 표시됩니다.

❼ 회원 가입하는 수험생이 14세 미만 인 경우에는 아래와 같은 부모님(법정 대리인)의 동의가 필요합니다.

반드시 부모님(법정 대리인)의 이름으로 동의를 진행하여 주세요.

❽ 〈선택 안함〉 → 〈가입하기〉 클릭합니다.

9 www.ybmit.com → 로그인 → 화면 위의 MY PAGE를 클릭합니다.

학생 명의의 휴대폰이 없는 경우에는 아이핀 인증을 진행하여야 하므로 아이핀 회원 가입 후 본인 인증 진행하여 주세요. 본인 인증은 반드시 14세 미만의 수험생 이름으로 진행하여 주세요.

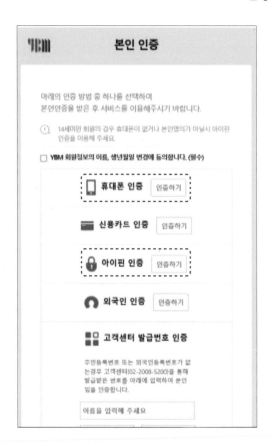

10 학생 본인 인증이 진행 한 후에 부모님(법정 대리인) 인증 창이 뜨면 부모님(법정 대리인) 인증 진행하시면 회원 가입 완료됩니다.

2. 시험 접수하기

❶ COS 자격 검정 사이트(www.ybmit.com)에 접속 한 후 〈로그인〉 클릭합니다.

❷ 화면 중앙에 있는 〈COS〉 클릭합니다.

❸ 왼쪽 화면의 〈시험 접수〉 클릭합니다.

❹ 〈인터넷 접수하기〉 클릭합니다.

❺ 시험구분 : COS 선택, 응시구분 : 일반접수 선택, 과목 선택, 한글 선택, 시험 프로그램(Scratch, Entry) 선택, 센터 선택, 날짜 및 시간 선택 한 후 〈다음 단계〉를 클릭합니다.

❻ 성명, 생년월일, 이메일, 연락처, 주소를 확인 한 후 〈결제하기〉클릭 한 후 결제합니다.

3. 시험 수험표 출력하기

❶ COS 자격 검정 사이트(www.ybmit.com)에 접속 한 후 〈로그인〉 클릭합니다.

❷ 〈MY PAGE〉를 클릭합니다.

❸ 1번의 약도와 2번의 응시일자/시간을 확인 한 후 〈수험표출력〉를 클릭하여 수험표를 출력합니다.

4. 자격증 신청하기

❶ COS 자에격 검정 사이트(www.ybmit.com)에 접속 한 후 〈로그인〉 클릭합니다.

❷ 〈MY PAGE〉를 클릭합니다.

❸ 왼쪽 화면서 1번 이름을 확인합니다. 〈COS 성적 및 자격증 신청〉를 클릭합니다.

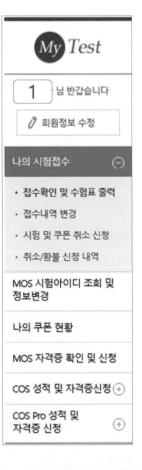

❹ 〈자격증 발급 신청〉를 클릭합니다. → 발급하고자 하는 자격증을 선택합니다. 〈선택한 자격증 발급 신청〉를 클릭합니다.

❺ 〈자격증 발급 신청〉에 표시된 개인 정보를 확인합니다.

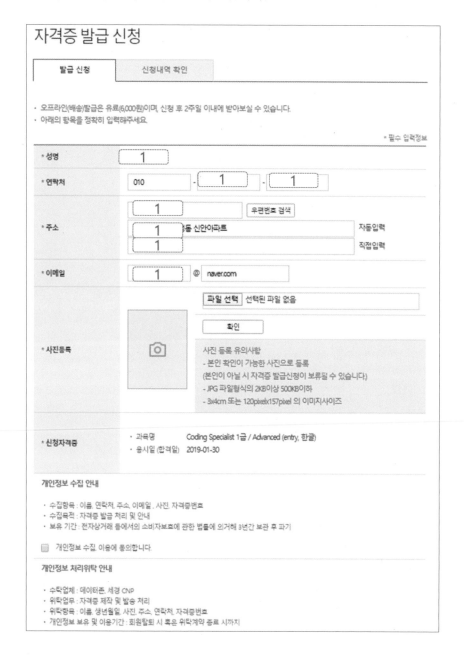

❻ 자격증 발급에 필요한 사진을 jpge 형태로 준비하신 후 〈사진등록〉의 파일 선택을 한 후 〈확인〉을 클릭합니다.

❼ 〈개인정보 수집 안내의 개인정보 수집 이용에 동의합니다〉에 체크합니다.

❽ 자격증 발급 수수료(건당 6,000원) 결재 합니다.

❾ 자격증 발급 소요 시간은 자격증 발급 신청일로부터 2~3 주후에 지정한 주소로 등기 우편으로 발송될 예정입니다.

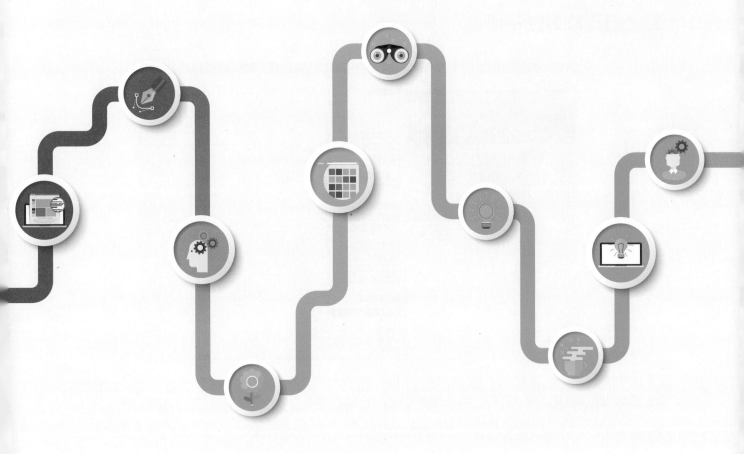

스크래치 시작하기

1. 스크래치 화면 구성

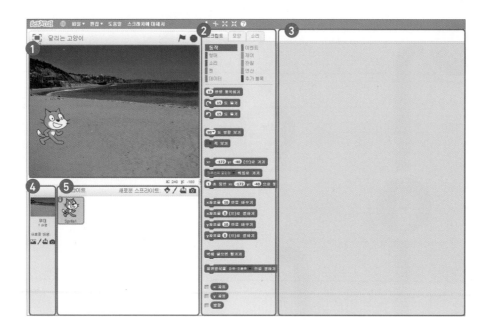

① 무대 영역 : 배경과 스프라이트로 무대를 꾸며주고, 사용자가 작업한 결과물을 볼 수 있습니다.

② 블록영역 : 스프라이트를 움직이게 하기 위한 블록이 있는 곳 입니다.

③ 스크립트영역 : 블록목록에서 사용할 블록들을 선택해서 스크립트 영역으로 가져와 조합하여 프로젝트를 진행하면서 다양한 블록들을 볼 수 있는 곳입니다.

④ 무대디자인 : 프로젝트의 배경이 될 무대를 직접 그리고 꾸밀수 있는 공간입니다.

⑤ 스프라이트목록 : 무대 위에서 사용되는 스프라이트들이 모두 모여 있는 곳입니다.

2. 스크래치 용어

- 스테이지(무대, stage) : 스프라이트를 배치 작업하는 공간이며 스크래치가 실행 결과를 볼 수 있습니다.

- 스프라이트(sprite) : 스크립트에 의해 움직이고 소리 낼 수 있는 그림, 글자, 도형 등으로 스크래치 프로그램에 등장하는 주인공 및 모든 객체를 의미하고, 가장 기본적으로 고양이 형태의 스프라이트가 화면에 등장합니다.

- 스크립트(script) : 무대 위에 스프라이트를 어떻게 움직이게 할 것인지, 블록 형태의 명령어를 찾고 조립하고 실행하는 공간으로 블록의 조합으로 구성되어 있습니다.

- 블록(block) : 프로그래밍 언어의 명령어 및 변수 등을 1:1로 매치시킨 프로그램 조각입니다.

- 이벤트 ▶ 프로그램에 의해 감지되고 처리될 수 있는 동작이나 사건을 의미 합니다.

3. 스크래치 블록을 활용한 프로그래밍

| 동작 | 동작 블록의 형태 및 기능 이해 |

동작 팔레트는 스프라이트를 움직이고 지정한 위치로 이동하거나 회전시키는 블록들로 구성되어 있습니다.

명령 블록	설명
10 만큼 움직이기	현재 위치에서 현재 방향으로 입력된 값만큼 이동합니다.
30 도 돌기	현재 방향에서 입력된 값만큼 오른쪽으로 회전합니다.
30 도 돌기	현재 방향에서 입력된 값만큼 왼쪽으로 회전합니다.
90▼ 도 방향 보기	지정된 방향을 바라봅니다. (90 : 오른쪽, −90 : 왼쪽, 0 : 위, 180 : 아래쪽)
마우스 포인터 ▼ 쪽 보기	마우스 포인터나 지정된 스프라이트를 바라봅니다.
x: 0 y: 0 로 이동하기	입력된 x, y 값으로 스프라이트의 위치를 바꿉니다.
마우스 포인터 ▼ 위치로 이동하기	스프라이트의 위치를 마우스 포인터나 선택한 스프라이트의 위치로 이동합니다.
1 초 동안 x: 0 y: 0 으로 움직이기	현재 위치에서 입력된 시간 동안 입력된 x, y 위치로 이동합니다.
x좌표를 10 만큼 바꾸기	현재 위치에서 x 좌표 값에 입력된 값만큼 더해 위치를 이동합니다.
x좌표를 0 (으)로 정하기	현재 위치에서 x 좌표 값을 입력된 값으로 바꿉니다.
y좌표를 10 만큼 바꾸기	현재 위치에서 y 좌표 값에 입력된 값만큼 더해 위치를 이동합니다.
y좌표를 0 (으)로 정하기	현재 위치에서 y 좌표 값을 입력된 값으로 바꿉니다.
벽에 닿으면 튕기기	스프라이트가 벽에 닿으면 회전 방향을 반대 방향으로 바꿉니다.
회전방식을 왼쪽-오른족 ▼ 로 정하기	회전 방식을 지정합니다. 왼쪽-오른쪽 : 좌우 회전만 가능합니다. 회전하지 않기 : 회전을 할 수 없습니다. 회전하기 : 360도 원하는 방향으로 회전할 수 있습니다.
x좌표	현재 스프라이트의 x 좌표 값을 나타냅니다.혼자서는 사용할 수 없고 다른 명령 블록의 인수로 사용합니다.
y좌표	현재 스프라이트의 y 좌표 값을 나타냅니다.혼자서는 사용할 수 없고 다른 명령 블록의 인수로 사용합니다.
방향	현재 스프라이트의 이동 방향의 각도를 나타냅니다. 혼자서는 사용할 수 없고 다른 명령 블록의 인수로 사용합니다.

형태	형태 블록의 형태 및 기능 이해

형태 팔레트는 말풍선을 표시하거나 스프라이트와 배경의 모양을 수정하고, 말풍선 또는 생각 풍선 내에 문자를 표시하는 블록들로 구성되어 있습니다.

명령 블록	설명
Hello! 을(를) 2 초동안 말하기	□에 입력한 내용을 ○초 동안 말풍선으로 무대에 표시합니다.
Hello! 말하기	□에 입력한 내용을 말풍선으로 무대에 표시합니다.
Hmm... 을(를) 2 초동안 생각하기	□에 입력한 내용을 ○초 동안 말풍선으로 무대에 표시합니다.
Hmm... 생각하기	□에 입력한 내용을 말풍선으로 무대에 표시합니다.
보이기	스프라이트를 무대에 보입니다.
숨기기	스프라이트를 무대에서 보이지 않도록 숨깁니다.
모양을 모양2 ▼ (으)로 바꾸기	스프라이트의 모양을 지정된 모양으로 바꿉니다.
다음 모양으로 바꾸기	스프라이트의 모양을 다음 모양으로 바꿉니다.
배경을 배경1 ▼ (으)로 바꾸기	무대의 배경을 지정된 배경으로 바꿉니다.
색깔 ▼ 효과를 25 만큼 바꾸기	색깔, 어안 렌즈, 소용돌이, 픽셀화, 모자이크, 밝기, 반투명 등의 효과를 현재 지정된 효과에서 ○에 입력한 만큼 바꿉니다.
색깔 ▼ 효과를 0 (으)로 정하기	색깔, 어안 렌즈, 소용돌이, 픽셀화, 모자이크, 밝기, 반투명 등의 효과를 현재 지정된 효과에서 ○에 입력한 만큼 지정합니다.
그래픽 효과 지우기	지정된 그래픽 효과를 모두 지웁니다.
크기를 10 만큼 바꾸기	스프라이트의 크기를 현재 크기에서 ○에 입력한 만큼 바꿉니다.
크기를 100 % 로 정하기	스프라이트의 크기를 원본 크기에서 ○에 입력한 %로 바꿉니다.
맨 앞으로 순서 바꾸기	스프라이트가 겹쳐져 있을 경우 맨 앞으로 나옵니다.
1 번째로 물러나기	스프라이트가 겹쳐져 있을 경우 ○ 번째로 물러납니다.
모양 #	스프라이트 모양이 몇 번째인지를 의미합니다.
배경 이름	현재 무대에 표시되는 배경의 이름을 의미합니다.
크기	현재 스프라이트의 크기가 %인지를 의미합니다.

| 소리 | **소리 블록의 형태 및 기능 이해** |

소리 팔레트는 가져온 사운드 개체를 재생하거나 제어하는 블록들로 구성되어 있습니다.

명령 블록	설명
야옹 ▼ 재생하기	지정된 소리를 한 번 들려줍니다.
야옹 ▼ 끝까지 재생하기	지정된 소리를 멈추기 전까지 반복해서 들려줍니다.
모든 소리 끄기	모든 소리를 끕니다.
1▼ 번 타악기를 0.25 박자로 연주하기	지정된 타악기를 지정된 박자로 연주합니다.
0.25 박자 쉬기	지정된 박자동안 쉽니다.
60▼ 번 음을 0.5 박자로 연주하기	지정된 음을 지정된 박자로 연주합니다.
1▼ 번 악기로 정하기	연주할 악기를 지정합니다.
음량을 -10 만큼 바꾸기	음량을 현재 값에서 지정된 값만큼 바꿉니다.
음량을 100 % (으)로 정하기	음량을 지정된 % 값으로 바꿉니다.
음량	음량을 얼마인지 값으로 나타냅니다.
빠르기를 20 만큼 바꾸기	빠르기를 현재 값에서 지정된 값만큼 바꿉니다.
빠르기를 60 bpm 으로 정하기	빠르기를 지정된 BPM 값으로 바꿉니다.
박자	빠르기를 얼마인지 값으로 나타냅니다.

| 펜 | 펜 블록의 형태 및 기능 이해 |

펜 팔레트는 배경에 선을 그리거나 스프라이트를 복제하는 블록들로 구성되어 있습니다.

명령 블록	설명
지우기	펜으로 그린 그림을 지웁니다.
도장찍기	펜으로 그린 그림을 도장 찍듯 복사합니다.
펜 내리기	펜으로 그림을 그리기 위해 펜을 내립니다.
펜 올리기	그림 그리기를 잠시 멈추기 위해 펜을 올립니다.
펜 색깔을 ■ (으)로 정하기	펜 색상을 바꿉니다.
펜 색깔을 10 만큼 바꾸기	펜 색깔을 지정된 값만큼 바꿉니다.
펜 색깔을 0 (으)로 정하기	펜 색깔을 지정된 숫자 값으로 정합니다.
펜 명암을 10 만큼 바꾸기	펜 음영을 지정된 값으로 바꿉니다.
펜 명암을 50 (으)로 정하기	펜 음영을 지정된 숫자 값으로 정합니다.
펜 굵기를 1 만큼 바꾸기	펜 굵기를 지정된 값만큼 바꿉니다.
펜 굵기를 1 (으)로 정하기	펜 굵기를 지정된 값으로 바꿉니다.

데이터   데이터 블록의 형태 및 기능 이해

변수 블록 사용 방법은 프로그래밍 하는 과정에서 데이터를 임시로 저장할 공간을 마련 하기 위한 블록의 모임으로 블록을 사용하기 위해서는 변수 만들기와 리스트 만들기가 선행되어야 합니다. 특정한 조건에 해당할 때 스크립트를 실행하는 블록들로 구성되어 있습니다.

명령 블록	설명
변수 만들기	새로운 변수를 만듭니다.
변수	변수의 값을 보고합니다.
정수 을(를) 0 로 정하기 / 정수 을(를) 1 만큼 바꾸기	변수의 값을 지정된 값으로 바꿉니다.
정수 을(를) 1 만큼 바꾸기 / 정수 을(를) 0 로 정하기	변수의 값을 현재 값에서 지정된 값만큼 더해서 정합니다.
정수 변수 보이기	변수를 화면에 표시합니다.
정수 변수 숨기기	변수를 화면에서 숨깁니다.
리스트 만들기	새로운 리스트를 만듭니다.
thing 항목을 여행 가고 싶은 곳 에 추가하기	지정된 리스트에 새로운 값을 추가합니다.
1 번째 항목을 여행 가고 싶은 곳 에서 삭제하기	리스트에서 특정 위치의 항목을 삭제합니다.
thing 을(를) 1 번째 여행 가고 싶은 곳 에 넣기	리스트에서 지정된 위치에 새로운 값을 추가합니다.
1 번째 여행 가고 싶은 곳 의 항목을 thing (으)로 바꾸기	리스트에서 지정된 위치의 값을 바꿉니다.
1 번째 여행 가고 싶은 곳 항목	리스트에서 지정된 위치의 값을 보고합니다.
여행 가고 싶은 곳 리스트의 항목 수	리스트의 크기를 보고합니다.
여행 가고 싶은 곳 리스트에 thing 포함되었는가?	리스트에 지정된 값이 포함되어 있는지 보고합니다.
여행 가고 싶은 곳 리스트 보이기	리스트를 화면에 표시합니다.
여행 가고 싶은 곳 리스트 숨기기	리스트를 화면에서 숨깁니다.

이벤트   이벤트 블록의 형태 및 기능 이해

스크래치에서 어떤 사건이 발생되었을 때, 명령이 실행되도록 하는 것이 이벤트입니다. 사용자가 [깃발을 클릭 했을 때], [~키를 눌렀을 때], [이 스프라이트가 클릭될 때] 등이 스크래치 프로그래밍에서 이벤트라고 합니다.

명령 블록	설명
클릭했을 때	⚑을 클릭할 때 스크립트를 실행합니다.
스페이스 ▼ 키를 눌렀을 때	키보드에서 지정된 키를 눌렀을 때 스크립트를 실행합니다.
이 스프라이트가 클릭될 때	이 스프라이트를 마우스로 클릭했을 때 스크립트를 실행합니다.
배경이 배경1 ▼ (으)로 바뀌었을 때	지정된 배경으로 바뀌었을 때 스크립트를 실행합니다.
음량 ▼ > 10 일 때	음량, 타이머, 비디오 동작 등이 지정된 값보다 클 때 스크립트를 실행합니다.
메시지1 ▼ 을(를) 받았을 때	지정된 메시지를 수신했을 때 스크립트를 실행합니다.
메시지1 ▼ 방송하기	모든 스프라이트에 지정된 메시지를 방송합니다.
메시지1 ▼ 방송하고 기다리기	모든 스프라이트에 지정된 메시지를 보내고 끝나기를 기다립니다.

제어　제어 블록의 형태 및 기능 이해

프로그램이 동작하는 흐름을 제어하는 것을 의미합니다.

이 블록들은 스프라이트가 계속 움직이게 만들고, 움직이는 스프라이트를 멈추게 하고, 스프라이트와 스프라이트가 부딪쳤을 때 스프라이트를 움직이게 하는 등의 동작하는 흐름을 제어합니다. 즉, 반복적인 작업을 시키거나, 조건에 따라 다른 작업을 하도록 하는 것을 제어라고 할 수 있습니다.

명령 블록	설명
1 초 기다리기	지정된 시간동안 기다렸다가 다음 명령 블록을 실행합니다.
10 번 반복하기	지정된 횟수만큼만 반복합니다.
무한 반복하기	끝나지 않고 계속해서 반복한다. 이후 다른 명령 블록을 연결할 수 없습니다.
만약 (이)라면	만약 〈조건〉이 맞으면 '만약 라면'에 포함된 블록을 실행합니다.
만약 (이)라면 아니면	만약 〈조건〉이 맞으면 '만약 라면'에 있는 블록을 실행하고 조건이 거짓인 경우에는 '아니면'에 있는 블록을 실행합니다.
까지 기다리기	〈조건〉을 만족할 때까지 기다립니다.
까지 반복하기	〈조건〉을 만족할 때까지 반복합니다.
모두 멈추기	모든 스프라이트와 스크립트를 멈춥니다. 이후 다른 명령 블록을 연결할 수 없습니다.
복제되었을 때	지정된 스프라이트가 복제되었을 때 무엇을 할 것인지 작성합니다.
나 자신 복제하기	지정된 스프라이트를 복제합니다.
이 복제본 삭제하기	복제된 스프라이트를 삭제합니다.

관찰   관찰 블록의 형태 및 기능 이해

관찰 팔레트는 스프라이트의 위치나 상황을 판단하는 블록들로 구성되어 있습니다.

명령 블록	설명
마우스 포인터 ▼ 에 닿았는가?	마우스포인터, 벽, 스프라이트 등에 닿았는지 확인합니다.
■ 색에 닿았는가?	스프라이트가 지정된 색에 닿았는지 확인합니다.
■ 색이 ■ 색에 닿았는가?	첫 번째 색이 두 번째 색상에 닿았는지 확인합니다.
마우스 포인터 ▼ 까지 거리	지정된 스프라이트나 마우스 포인터까지의 거리를 확인합니다.
What's your name? 묻고 기다리기	화면에 질문을 한 후 키보드 입력을 기다립니다.
대답	가장 최근에 키보드로 입력한 내용을 확인합니다.
스페이스 ▼ 키를 눌렀는가?	키보드에서 어떤 키를 눌렀는지 확인합니다.
마우스를 클릭했는가?	마우스를 클릭했는지 확인합니다.
마우스의 x좌표	마우스의 x 좌표를 확인합니다.
마우스의 y좌표	마우스의 y 좌표를 확인합니다.
음량	현재 음량을 확인합니다.
비디오 동작 ▼ 에 대한 이 스프라이트 ▼ 에서의 관찰값	지정된 스프라이트에 비디오 모션의 양이 얼마나 되는지 확인하는데 사용합니다.
비디오 켜기 ▼	비디오 카메라를 켜거나 끕니다.
비디오 투명도를 50 % 로 정하기	비디오 카메라의 투명도를 지정합니다.
타이머	타이머의 값을 알려줍니다.
타이머 초기화	타이머를 초기화합니다.
x좌표 ▼ of Sprite1 ▼	지정된 스프라이트의 x 좌표나 y 좌표 값을 확인합니다.
현재 분 ▼	현재 년, 월, 일, 요일, 시, 분, 초 등을 확인합니다.
2000년 이후 현재까지 날짜수	2000년 이후의 일수를 확인합니다.
사용자이름	사용자 이름을 확인합니다.

| 연산 | 연산 블록의 형태 및 기능 이해 |

연산은 계산을 의미합니다. 단순한 연산부터 복잡한 공식까지 다양한 연산을 스크래치를 통해서 할 수 있습니다. 산술 연산을 수행하고 난수를 생성하고, 관계를 결정하기 위해 값을 비교할 수 있는 블록입니다.

명령 블록	설명
◯ + ◯	첫 번째 값에 두 번째 값을 더한 값입니다.
◯ - ◯	첫 번째 값에서 두 번째 값을 뺀 값입니다.
◯ * ◯	첫 번째 값과 두 번째 값을 곱한 값입니다.
◯ / ◯	첫 번째 값을 두 번째 값으로 나눈 값입니다.
1 부터 10 사이의 난수	첫 번째 값부터 두 번째 값 사이에서 임의의 수를 만듭니다.
◻ < ◻	첫 번째 값이 두 번째 값보다 작으면 '참'이 되고 그렇지 않으면 '거짓'이 됩니다.
◻ = ◻	첫 번째 값과 두 번째 값이 같은지 판단하여 같으면 '참', 다르면 '거짓'이 됩니다.
◻ > ◻	첫 번째 값이 두 번째 값보다 크면 '참'이 되고 그렇지 않으면 '거짓'이 됩니다.
그리고	첫 번째 값과 두 번째 값이 모두 '참', 하나라도 '거짓'이면 '거짓'이 됩니다.
또는	첫 번째 값이나 두 번째 값 중 하나라도 '참'이면 '참'이 되고 둘 다 거짓이면 '거짓'이 됩니다.
가(이) 아니다	입력된 값이 '참'이면 거짓을, '거짓'이면 참이 됩니다.
hello 와 world 결합하기	첫 번째 값과 두 번째 값을 결합합니다.
1 번째 글자 (world)	두 번째 값에 입력된 문자 중 첫 번째 값에 입력된 위치의 문자를 알려줍니다.
world 의 길이	입력된 내용이 몇 글자인지 알려줍니다.
◯ 나누기 ◯ 의 나머지	첫 번째(앞) 값을 두 번째(뒤) 값으로 나눈 나머지를 알려줍니다.
◯ 반올림	입력된 값을 반올림합니다.
제곱근 ▼ (9)	입력된 값의 수학 함수(절대값, 비닥 함수, 천장 함수, 제곱근, sin, cos, tan, asin 등)에 해당하는 결과 값을 알려줍니다.

추가 블록 　추가 블록의 형태 및 기능 이해

연산은 계산을 의미합니다. 단순한 연산부터 복잡한 공식까지 다양한 연산을 스크래치를 통해서 할 수 있습니다.

산술 연산을 수행하고 난수를 생성하고, 관계를 결정하기 위해 값을 비교할 수 있는 블록입니다.

명령 블록	설명
정의하기 블록	새로운 명령 블록을 정의합니다.

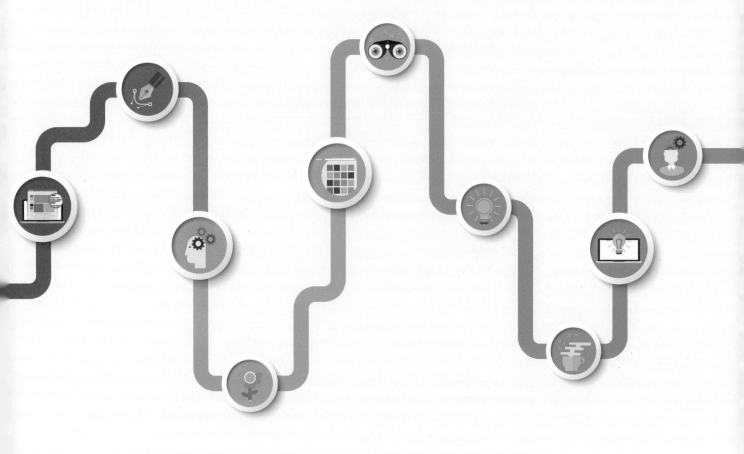

기출유형 파악하기

SECTION

01

UI 요구사항 구현

기출유형파악하기 01

[예제파일 : 기출유형파악하기01문제.sb2]   [정답파일 : 기출유형파악하기01정답.sb2]

YBM Coding Specialist

설명

눈사람을 향해 눈을 던지는 프로그램입니다.

동작과정

1. 🚩 클릭하기
   → 스페이스 키를 누르면 눈덩이를 던집니다.
   → 눈덩이가 눈사람에 맞으면 모양이 변하고, 그렇지 않으면 눈덩이가 사라집니다.
2. 프로그램 종료하기

코딩 스프라이트	눈덩이

지시사항

▶ 🚩 *클릭했을 때*
1) 다음 지시사항을 순서대로 수행하는 스크립트를 작성하시오
   ① 스프라이트를 숨기시오.
   ② 스프라이트의 모양을 '**눈덩이1**'로 바꾸시오.
   ③ 스프라이트를 맨 앞으로 보내시오.

유의사항

지시사항에서 설명한 블록만 이용하시오.
그렇지 않은 경우 채점되지 않습니다.
지시사항 이외의 블록을 변경하였을 경우 "**다시풀기**" 버튼을 눌러서 초기화 후 문제를 푸시기 바랍니다.

코딩 스프라이트	화살표

지시사항

▶ **이동** 추가블록
1) 다음 지시사항을 순서대로 무한 반복하는 스크립트를 작성하시오
   ① 스프라이트를 '**10**'만큼 움직이시오.
   ② 스프라이트가 벽에 닿으면 튕기기 하시오.

유의사항

지시사항에서 설명한 블록만 이용하시오.
그렇지 않은 경우 채점되지 않습니다.
지시사항 이외의 블록을 변경하였을 경우 "**다시풀기**" 버튼을 눌러서 초기화 후 문제를 푸시기 바랍니다.

🔧 풀이과정

스프라이트 : **눈덩이**

예제 블록	정답 블록

1. 🏴 클릭했을 때 아래에 아래와 같이 조립합니다.

2. [형태] 팔레트의 `숨기기` 블록을 `클릭했을 때` 아래로 드래그합니다.

3. [형태] 팔레트의 `모양을 눈덩이1 ▼ (으)로 바꾸기` 블록을 `숨기기` 아래로 드래그합니다.

4. [형태] 팔레트의 `맨 앞으로 나오기` 블록을 `모양을 눈덩이1 ▼ (으)로 바꾸기` 아래로 드래그합니다.

5. 🏴 클릭하여 프로젝트를 실행합니다.

스프라이트 : **화살표**

예제 블록	정답 블록
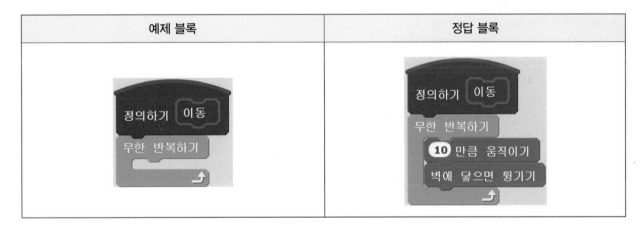	

1. 무한 반복하기 안에 아래와 같이 조립합니다.

2. [동작] 팔레트의 `10 만큼 움직이기` 블록을 무한 반복하기 사이로 드래그합니다.

3. [동작] 팔레트의 `벽에 닿으면 튕기기` 블록을 `10 만큼 움직이기` 아래로 드래그합니다.

4. 🏴 클릭하여 프로젝트를 실행합니다.

기출유형파악하기01-연습01

[예제파일 : 기출유형파악하기01-연습01 문제.sb2]　　　　　[정답파일 : 기출유형파악하기01-연습01 정답.sb2]

YBM Coding Specialist

설명
고양이가 해딩으로 골을 넣는 프로그램입니다.

동작과정

1. ▶ 클릭하기
   → 머리에 공이 닿으면 공이 골대를 향해 날아갑니다.
2. 프로그램 종료하기

코딩 스프라이트	축구공

지시사항

▶ ▶ 클릭했을 때
1) 다음 지시 사항을 순서대로 무한 반복하시오.
   ① 스프라이트를 '**10**'만큼 움직이시오
   ② 만약 **고양이** 스프라이트에 닿으면 골 추가블록을 실행하시오.

▶ **골** 추가블록
1) 오른쪽으로 '**45**'도 돌게 하시오.
2) 다음 지시사항을 '**10**'번 반복하시오.
   ① 스프라이트를 '**10**'만큼 움직이시오.
3) 모두 멈추시오.

유의사항

지시사항에서 설명한 블록만 이용하시오.
그렇지 않은 경우 채점되지 않습니다.
지시사항 이외의 블록을 변경하였을 경우 "**다시풀기**" 버튼을 눌러서 초기화 후 문제를 푸시기 바랍니다.

기출유형파악하기01-연습02

[예제파일 : 기출유형파악하기01-연습02 문제.sb2]   [정답파일 : 기출유형파악하기01-연습02 정답.sb2]

YBM Coding Specialist

설명

큐대로 공을 쳐서 구멍에 공을 넣는 프로그램입니다.

동작과정

1. 🚩 클릭하기
   → 스페이스 키를 누르면 큐대가 공을 칩니다.
   → 공이 구멍에 들어가면 공이 사라집니다.
2. 프로그램 종료하기

변수설명

▶ 각도
  큐대의 각도를 정하는 변수입니다.

코딩 스프라이트	큐대

지시사항

▶ 스페이스 키를 눌렀을 때
1) 스프라이트에 있는 다른 스크립트를 멈추시오.
2) '−45' 각도 변수 도 방향을 보게 하시오.
3) '10' 만큼 움직이기를 '10'번 반복하시오.

▶ **각도** 추가블록
1) 다음 지시사항을 '20'번 반복하시오.
   ① 각도 변수를 '1'만큼 바꾸시오.   ② 오른쪽 방향으로 '1'도 돌게 하시오.
2) 다음 지시사항을 '40'번 반복하시오.
   ① 각도 변수를 '−1'만큼 바꾸시오.   ② 왼쪽 방향으로 '1'도 돌게 하시오.
3) 다음 지시사항을 '20'번 반복하시오.
   ① 각도 변수를 '1'만큼 바꾸시오.   ② 오른쪽 방향으로 '1'도 돌게 하시오.

유의사항

지시사항에서 설명한 블록만 이용하시오.
그렇지 않은 경우 채점되지 않습니다.
지시사항 이외의 블록을 변경하였을 경우 "**다시풀기**" 버튼을 눌러서 초기화 후 문제를 푸시기 바랍니다.

기출유형파악하기 01-연습03

[예제파일 : 기출유형파악하기01-연습03 문제.sb2]   [정답파일 : 기출유형파악하기01-연습03 정답.sb2]

YBM Coding Specialist

설명

골프채로 공을 쳐서 홀에 공을 넣는 프로그램입니다.

동작과정

1. 🚩 클릭하기
2. 스페이스 키를 누르면 골프채가 공을 칩니다.
   → 골프공이 홀에 들어가면 공이 사라집니다.
3. 프로그램 종료하기

코딩 스프라이트	골프채

지시사항

▶ 🚩 클릭했을 때
1) 다음 지시사항을 순서대로 작성하시오.
   ① 스프라이트가 '**90**'도 방향을 보게 하시오.
   ② 각도변수를 '**0**'으로 정하기 하시오.

유의사항

지시사항에서 설명한 블록만 이용하시오.
그렇지 않은 경우 채점되지 않습니다.
지시사항 이외의 블록을 변경하였을 경우 "**다시풀기**" 버튼을 눌러서 초기화 후 문제를 푸시기 바랍니다.

코딩 스프라이트	구멍

지시사항

▶ 🚩 클릭했을 때
1) 다음 지시사항을 순서대로 무한 반복하시오.
   ① 만약 골프공에 닿았는가 이라면 다음 지시사항을 순서대로 작성하시오.
   1. '**성공**'을 '**1**'초동안 말하시오.
   2. 스크립트를 모두 멈추시오.

유의사항

지시사항에서 설명한 블록만 이용하시오.
그렇지 않은 경우 채점되지 않습니다.
지시사항 이외의 블록을 변경하였을 경우 "**다시풀기**" 버튼을 눌러서 초기화 후 문제를 푸시기 바랍니다.

기출유형파악하기 02

[예제파일 : 기출유형파악하기02문제.sb2]   [정답파일 : 기출유형파악하기02정답.sb2]

설명

정맥을 인식하여 금고문을 여는 프로그램입니다.

동작과정

1. 🏴 클릭하기
   → 무작위의 정맥 모양이 비밀번호로 설정됩니다.
2. 무대에 주어진 3가지 모양의 정맥 중 한 가지를 드래그하여 인식영역으로 드래그&드롭합니다.
   → 설정된 정맥 모양과 일치할 경우 인식부분의 색깔이 파란색으로 바뀌고, '문이 열렸습니다.'를 말합니다.
   → 그렇지 않은 경우 '등록된 정맥과 다릅니다.'를 말합니다.
3. 프로그램 종료하기

코딩 스프라이트	인식영역

지시사항

▶ **체크** 추가블록
1) 다음 지시사항을 순서대로 수행하는 스크립트를 작성하시오
   ① 등록정맥 스프라이트의 모양이 '1'이면 **정맥1** 추가블록을 실행하시오
   ② 등록정맥 스프라이트의 모양이 '2'이면 **정맥2** 추가블록을 실행하시오
   ③ 등록정맥 스프라이트의 모양이 '3'이면 **정맥3** 추가블록을 실행하시오

유의사항

보기블록1 스프라이트에 주어진 블록만 이용하시오.
그렇지 않은 경우 채점되지 않습니다.
지시사항 이외의 블록을 변경하였을 경우 **"다시풀기"** 버튼을 눌러서 초기화 후 문제를 푸시기 바랍니다.

코딩 스프라이트	등록정맥

지시사항

▶ 🏴 클릭했을 때
1) 다음 지시사항을 순서대로 수행하는 스크립트를 작성하시오.
   ① 스프라이트의 크기를 '**20**'%로 정하시오
   ② 스프라이트를 '**정맥**'과 '**1**'부터 '**3**' 사이의 난수를 결합한 모양으로 바꾸시오
   ③ 스프라이트를 좌표위치 x : '**-150**', y : '**-20**'으로 이동하시오.
   ④ start 메시지를 방송하시오.

유의사항

보기블록2 스프라이트에 주어진 블록만 이용하시오.
그렇지 않은 경우 채점되지 않습니다.
지시사항 이외의 블록을 변경하였을 경우 **"다시풀기"** 버튼을 눌러서 초기화 후 문제를 푸시기 바랍니다.

풀이과정

스프라이트 : **인식영역**

문제 보기블록	문제 그림	정답 보기블록

1. 보기블록1 스프라이트를 클릭합니다.
2. 문제 보기블록을 인식영역 스프라이트로 드래그하여 보기블록에 주어진 블록을 복사합니다.(6번 반복함)
3. 정답 보기 블록처럼 조립합니다.
4. ▶ 클릭하여 프로젝트를 실행합니다.

스프라이트 : **등록정맥**

문제 보기블록	문제 그림	정답 보기블록

1. 보기블록2 스프라이트를 클릭합니다.
2. 문제 보기블록2에 주어진 블록을 정답 보기블록에 주어진 순서대로 조립하여 등록정맥으로 드래그하여 복사합니다.
3. 정답 보기 블록처럼 조립합니다.
4. ▶ 클릭하여 프로젝트를 실행합니다.

TIP　보기블록 문제시 블록 복사하는 가장 정확한 방법은 보기블록에 주어진 블록을 드래그하면서 흰색 마우스 포인터가 정확히 복사하고자 하는 스프라이트의 안에 드래그합니다.
만일, 드래그 하는 도중에 스크립트 창으로 드래그하게 되면 보기 블록의 블록이 사라지게 됩니다. 블록이 사라지게 되면 다시 풀기 버튼을 클릭하여 문제를 초기화 한 후 문제 풀기를 시작합니다.

기출유형파악하기 02-연습01

[예제파일 : 기출유형파악하기02-연습01 문제.sb2]   [정답파일 : 기출유형파악하기02-연습01 정답.sb2]

설명
동공인식을 통해 연구실로 출입하는 프로그램입니다.

동작과정
1. 🏴 클릭하기
   → 잘못된 동공일 경우 '등록이 되지 않은 동공입니다.'를 말합니다.
   → 올바른 동공일 경우 연구실 배경으로 바뀝니다.
2. 프로그램 종료하기

코딩 스프라이트	동공1

지시사항

▶ **통과** 메시지를 받았을때
1) 스프라이트를 숨기시오

유의사항

지시사항에서 설명한 블록만 이용하시오.
그렇지 않은 경우 채점되지 않습니다.
지시사항 이외의 블록을 변경하였을 경우 "**다시풀기**" 버튼을 눌러서 초기화 후 문제를 푸시기 바랍니다.

코딩 스프라이트	등록

지시사항

▶ 🏴 *클릭했을 때*
1) 다음 지시사항을 순서대로 작성하시오.
   ① **시작** 메시지를 방송하시오
   ② 스프라이트를 보이게 하시오
   ③ 스프라이트의 크기를 '**20**' %로 정하시오.
   ④ 스프라이트의 모양을 동공와 '**1**'부터 '**3**'사이의 난수 결합하기로 바꾸시오
   ⑤ 스프라이트를 좌표위치 x:'**-150**', y:'**-20**' 으로 이동하시오.

유의사항

지시사항에서 설명한 블록만 이용하시오.
그렇지 않은 경우 채점되지 않습니다.
지시사항 이외의 블록을 변경하였을 경우 "**다시풀기**" 버튼을 눌러서 초기화 후 문제를 푸시기 바랍니다.

기출유형파악하기 02-연습02

[예제파일 : 기출유형파악하기02-연습02 문제.sb2] 　　　　　[정답파일 : 기출유형파악하기02-연습02 정답.sb2]

YBM Coding Specialist

설명

회사 출입증을 통해 회사문을 여는 프로그램입니다.

동작과정

1. 🚩 클릭하기
   → 인식영역에서 회사 출입증을 드래그하여 올려둡니다.
   → 잘못된 출입증일 경우 등록된 출입증이 아닙니다 를 말합니다.
   → 올바른 출입증일 경우 문이 열립니다.
2. 프로그램 종료하기

코딩 스프라이트	인식영역

지시사항

▶ **체크** 추가블록

1) 다음 지시사항을 순서대로 작성하시오
   ① 만약 등록출입증 스프라이트의 모양이 '**1**'이면 **출입증1** 추가블록을 실행하시오
   ② 만약 등록출입증 스프라이트의 모양이 '**2**'이면 **출입증2** 추가블록을 실행하시오

유의사항

보기블록1 스프라이트에 주어진 블록만 이용하시오.
그렇지 않은 경우 채점되지 않습니다.
지시사항 이외의 블록을 변경하였을 경우 **"다시풀기"** 버튼을 눌러서 초기화 후 문제를 푸시기 바랍니다.

코딩 스프라이트	등록출입증

지시사항

▶ 🚩 *클릭했을 때*

1) 다음 지시사항을 순서대로 작성하시오
   ① 등록출입증 스프라이트의 크기를 '**20**'**%**로 정하시오
   ② 등록출입증 스프라이트를 '**출입증**'과 '**1**'부터 '**2**' 사이의 난수를 결합한 모양으로 바꾸시오
   ③ 등록출입증 스프라이트를 좌표위치 X : '**-150**', Y : '**-20**' 으로 이동하시오

유의사항

보기블록2 스프라이트에 주어진 블록만 이용하시오.
그렇지 않은 경우 채점되지 않습니다.
지시사항 이외의 블록을 변경하였을 경우 **"다시풀기"** 버튼을 눌러서 초기화 후 문제를 푸시기 바랍니다.

기출유형파악하기 02-연습03

[예제파일 : 기출유형파악하기02-연습03 문제.sb2]　　　　　　　[정답파일 : 기출유형파악하기02-연습03 정답.sb2]

YBM Coding Specialist

설명
성문 출입증을 통해 성문을 여는 프로그램입니다.

동작과정
1. 🚩 클릭하면
2. 인식영역에서 성문 출입증을 드래그 하여 올려둡니다.
   → 잘못된 출입증일 경우 '등록된 출입증이 아닙니다.'를 말합니다.
   → 올바른 출입증일 경우 성 내부로 들어갈 수 있습니다.
   → 성 내부 배경으로 바뀝니다.
3. 프로그램 종료하기

코딩 스프라이트	인식영역

지시사항

▶ **출입증1** 추가블록
1) 출입증1에 닿았다면 다음 지시사항을 순서대로 작성하시오
   ① **'등록된 출입증입니다.'**를 **'2'**초 동안 말하기 하시오/
   ② 등록증 출입증을 방송하시오.
   ③ 인식영역 스프라이트를 숨기기하시오.

유의사항
지시사항에서 설명한 블록만 이용하시오.
그렇지 않은 경우 채점되지 않습니다.
지시사항 이외의 블록을 변경하였을 경우 **"다시풀기"** 버튼을 눌러서 초기화 후 문제를 푸시기 바랍니다.

코딩 스프라이트	출입증2

지시사항

▶ 🚩 *클릭했을 때*
1) 다음 지시사항을 순서대로 작성하시오
   ① 출입증2 스프라이트의 크기를 **'30'**%로 정하시오.
   ② 출입증2 스프라이트를 좌표위치 x : **'170'**, y : **'−50'**으로 이동하시오.

유의사항
지시사항에서 설명한 블록만 이용하시오.
그렇지 않은 경우 채점되지 않습니다.
지시사항 이외의 블록을 변경하였을 경우 **"다시풀기"** 버튼을 눌러서 초기화 후 문제를 푸시기 바랍니다.

SECTION

02

프로그램 구현

기출유형파악하기 03

[예제파일 : 기출유형파악하기03문제.sb2]   [정답파일 : 기출유형파악하기03정답.sb2]

YBM Coding Specialist

설명
여우가 먹이를 찾아 먹는 프로그램입니다.

동작과정
1. 🏳 클릭하기
   → 고기가 무작위의 위치에 놓입니다.
   → 여우가 고기를 향해 이동합니다.
   → 고기를 먹고 난 후 무대 밖으로 이동합니다.
2. 프로그램 종료하기

코딩 스프라이트	여우

지시사항

▶ **이동** 추가블록
1) 다음 지시사항을 순서대로 무한 반복하는 스크립트를 작성하시오
   ① 스프라이트가 '10'만큼 움직이게 하시오.
   ② 스프라이트를 다음 모양으로 바꾸시오.
   ③ 만약 여우 스프라이트가 벽에 닿으면 스프라이트를 숨기시오.

유의사항

지시사항에서 설명한 블록만 이용하시오.
그렇지 않은 경우 채점되지 않습니다.
지시사항 이외의 블록을 변경하였을 경우 **"다시풀기"** 버튼을 눌러서 초기화 후 문제를 푸시기 바랍니다.

코딩 스프라이트	고기

지시사항

▶ 🏳 클릭했을 때
1) 다음 지시사항을 순서대로 작성하시오.
   ① 스프라이트를 보이게 하시오.
   ② 스프라이트의 크기를 '20'%로 정하시오
   ③ 스프라이트를 좌표위치 x : '−150', y : '220'사이의 난수, y:'−120'부터 '160' 사이의 난수 로 이동하게 하시오.

유의사항

지시사항에서 설명한 블록만 이용하시오.
그렇지 않은 경우 채점되지 않습니다.
지시사항 이외의 블록을 변경하였을 경우 **"다시풀기"** 버튼을 눌러서 초기화 후 문제를 푸시기 바랍니다.

⚙ 풀이과정

스프라이트 : **여우**

예제 블록	정답 블록
정의하기 이동 무한 반복하기 만약 라면	정의하기 이동 무한 반복하기 10 만큼 움직이기 다음 모양으로 바꾸기 만약 벽▼ 에 닿았는가? 라면 숨기기

1. 무한반복하기 안에 아래와 같이 조립합니다.

2. [동작] 팔레트의 10 만큼 움직이기 블록을 무한 반복하기 사이로 드래그합니다.

3. [형태] 팔레트의 다음 모양으로 바꾸기 블록을 10 만큼 움직이기 블록 아래로 드래그합니다.

4. [관찰] 팔레트의 벽▼ 에 닿았는가? 블록을 만약 ~라면 사이로 드래그합니다.

5. [형태] 팔레트의 숨기기 블록을 만약 벽에 닿았는가? 라면 아래로 드래그합니다.

6. ▶ 클릭하여 프로젝트를 실행합니다.

스프라이트 : **고기**

예제 블록	클릭했을 때
정답 블록	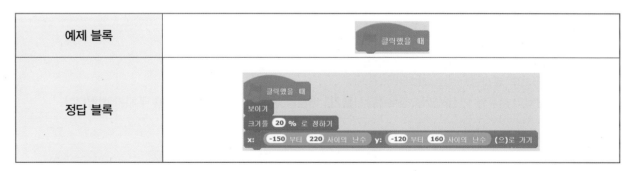

1. 클릭했을 때 아래에 [형태] 팔레트의 보이기 블록을 드래그합니다.

2. [형태] 팔레트의 크기를 100 % 로 정하기 블록을 보이기 블록 아래로 드래그합니다.

3. [동작] 팔레트의 x: 0 y: 0 (으)로 가기 블록을 크기를 100 % 로 정하기 블록 아래로 드래그합니다.

4. [연산] 팔레트의 1 부터 10 사이의 난수 블록을 x: 0으로 드래그 한 후 −150, 220 숫자 입력합니다.

5. [연산] 팔레트의 1 부터 10 사이의 난수 블록을 y: 0으로 드래그 한 후 −120, 160 숫자 입력합니다.

6. ▶ 클릭하여 프로젝트를 실행합니다.

기출유형파악하기 03-연습01

[예제파일 : 기출유형파악하기03-연습01 문제.sb2]   [정답파일 : 기출유형파악하기03-연습01 정답.sb2]

YBM Coding Specialist

설명
고양이가 생선을 찾아 먹는 프로그램입니다.

동작과정

1. 🚩 클릭하기
   → 고양이와 생선이 보입니다.
   → 고양이가 생선을 향해 걸어와 먹습니다.
   → 생선을 먹고난 후 무대 밖으로 이동합니다.

코딩 스프라이트	고양이

지시사항

▶ 🚩 클릭했을 때
1) 다음 지시사항을 순서대로 작성하시오.
   ① 스프라이트를 보이게 하시오.
   ② 스프라이트가 생선 쪽을 보게 하시오.
   ③ '1'초 기다리시오
2) 생선 스프라이트에 닿을 때 까지 다음 지시사항을 순서대로 반복하게 작성하시오.
   ① 스프라이트를 '10'만큼 움직이시오.
   ② 다음 모양으로 바꾸기 하시오.

유의사항
보기블록1 스프라이트에 주어진 블록만 이용하시오.
그렇지 않은 경우 채점되지 않습니다.
지시사항 이외의 블록을 변경하였을 경우 **"다시풀기"** 버튼을 눌러서 초기화 후 문제를 푸시기 바랍니다.

코딩 스프라이트	생선

지시사항

▶ **식사** 추가블록
1) 다음 지시사항을 순서대로 '2'번 반복하는 스크립트를 작성하시오.
   ① 스프라이트를 다음 모양으로 바꾸시오.
   ② '0.5'초 기다리시오.

유의사항
보기블록2 스프라이트에 주어진 블록만 이용하시오.
그렇지 않은 경우 채점되지 않습니다.
지시사항 이외의 블록을 변경하였을 경우 **"다시풀기"** 버튼을 눌러서 초기화 후 문제를 푸시기 바랍니다.

기출유형파악하기 03-연습02

[예제파일 : 기출유형파악하기03-연습02 문제.sb2]   [정답파일 : 기출유형파악하기03-연습02 정답.sb2]

YBM Coding Specialist

설명

갈매기가 새우깡을 먹는 프로그램입니다.

동작과정

1. 🏴 클릭하기
   → 갈매기와 새우깡이 보입니다.
   → 갈매기가 새우깡을 향해 날아와 먹습니다.
   → 새우깡을 먹고 난 후 무대 밖으로 이동합니다.
2. 프로그램 종료하기

코딩 스프라이트	갈매기

지시사항

▶ **이동** 추가블록

1) 다음 지시사항을 순서대로 무한 반복하는 스크립트를 작성하시오.
   ① 스프라이트가 '**10**' 만큼 움직이게 하시오.
   ② 스프라이트를 다음 모양으로 바꾸시오.
   ③ 만약 **갈매기** 스프라이트가 벽에 닿으면 스프라이트를 숨기시오.

유의사항

지시사항에서 설명한 블록만 이용하시오.

코딩 스프라이트	새우깡

지시사항

▶ 🏴 클릭했을 때

1) 다음 지시사항을 순서대로 작성하시오.
   ① 스프라이트를 보이게 하시오.
   ② 스프라이트의 크기를 '**20%**'로 정하시오.
   ③ 스프라이트를 좌표위치 X : '**－150**' 부터 '**220**' 사이의 난수, Y : '**－120**' 부터 '**160**' 사이의 난수에 위치시키시오.

유의사항

지시사항에서 설명한 블록만 이용하시오.

기출유형파악하기 03-연습03

[예제파일 : 기출유형파악하기03-연습03 문제.sb2]   [정답파일 : 기출유형파악하기03-연습03 정답.sb2]

YBM Coding Specialist

설명

까마귀가 사과를 먹는 프로그램입니다.

동작과정

1. ▶ 클릭하면
   → 까마귀와 사과가 보입니다.
   → 까마귀가 사과를 향해 걸어와 사과를 먹습니다.
   → 사과를 먹고난 후 무대 밖으로 이동합니다.
2. 프로그램 종료하기

코딩 스프라이트	까마귀

지시사항

▶ **이동** 추가블록
1) 다음 지시사항을 순서대로 무한 반복하는 스크립트를 작성하시오.
   ① 스프라이트가 '**10**'만큼 움직이게 하시오.
   ② 스프라이트를 다음 모양으로 바꾸시오.
   ③ 까마귀 스프라이트가 벽에 닿으면 스프라이트를 숨기시오

유의사항

지시사항에서 설명한 블록만 이용하시오.
그렇지 않은 경우 채점되지 않습니다.
지시사항 이외의 블록을 변경하였을 경우 "**다시풀기**" 버튼을 눌러서 초기화 후 문제를 푸시기 바랍니다.

코딩 스프라이트	사과

지시사항

▶ *▶ 클릭했을 때*
1) 다음 지시사항을 순서대로 작성하시오.
   ① 스프라이트를 보이게 하시오
   ② 스프라이트의 크기를 '**50**'%로 정하시오.
   ③ 스프라이트를 좌표위치 x : '**-150**'부터 '**220**' 사이의 난수, y : '**-120**'부터 '**160**'사이의 난수에 위치시키시오.

유의사항

지시사항에서 설명한 블록만 이용하시오.
그렇지 않은 경우 채점되지 않습니다.
지시사항 이외의 블록을 변경하였을 경우 "**다시풀기**" 버튼을 눌러서 초기화 후 문제를 푸시기 바랍니다.

기출유형파악하기 04

[예제파일 : 기출유형파악하기04문제.sb2]   [정답파일 : 기출유형파악하기04정답.sb2]

설명
리스트에 저장된 최댓값과 최솟값을 제외한 모든 값을 덧셈하는 프로그램입니다.

동작과정
1. ⚑ 클릭하기
   → 리스트에 10개의 숫자가 무작위로 생성되어 저장됩니다.
   → 모든 수를 더합니다.
   → 최댓값과 최솟값을 뺍니다.
   → 고양이가 계산 결과를 말합니다.
2. 프로그램 종료하기

변수설명

▶ N
리스트에 값을 입력하기 위해 사용하는 변수입니다.
▶ 최댓값
리스트의 최댓값을 저장하는 변수입니다.
▶ 최솟값
리스트의 최솟값을 저장하는 변수입니다.
▶ 합
리스트에서 최댓값을 최솟값을 제외한 값들의 합을 저장하는 변수입니다.

코딩 스프라이트	고양이

지시사항

▶ **최댓값** 검색 추가블록
1) 스크립트의 빈 칸을 채우시오.
   ① 최댓값 변수를 N 변수 번째 리스트 항목으로 정하시오.
   ② N 변수 번째 리스트 항목의 값이 **최댓값** 변수 보다 크면 **최댓값** 변수를 N 변수 번째 리스트 항목으로
   정하시오.

유의사항

보기블록 스프라이트에 주어진 블록만 이용하시오.
그렇지 않은 경우 채점되지 않습니다.
지시사항 이외의 블록을 변경하였을 경우 **"다시풀기"** 버튼을 눌러서 초기화 후 문제를 푸시기 바랍니다.

풀이과정

스프라이트 : **고양이**

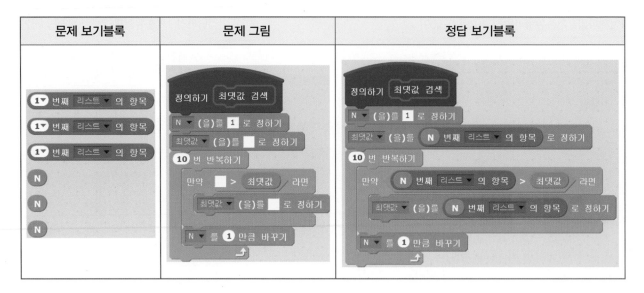

문제 보기블록	문제 그림	정답 보기블록

1. 보기블록 스프라이트를 클릭합니다.

2. 문제 보기블록을 고양이 스프라이트로 드래그하여 보기블록에 주어진 블록을 복사합니다.(6번 반복함)

3. 정답 보기 블록처럼 조립합니다.

4. ▶ 클릭하여 프로젝트를 실행합니다.

> **TIP**   보기블록 문제시 블록 복사하는 가장 정확한 방법은 보기블록에 주어진 블록을 드래그하면서 흰색 마우스 포인터가 정확히 복사하고자 하는 스프라이트의 안에 드래그합니다.
>
> 만일, 드래그 하는 도중에 스크립트 창으로 드래그하게 되면 보기 블록의 블록이 사라지게 됩니다. 블록이 사라지게 되면 다시 풀기 버튼을 클릭하여 문제를 초기화 한 후 문제 풀기를 시작합니다.

기출유형파악하기 04-연습01

[예제파일 : 기출유형파악하기04-연습01 문제.sb2]   [정답파일 : 기출유형파악하기04-연습01 정답.sb2]

YBM Coding Specialist

설명
각 리스트에서 최솟값을 찾아 서로 덧셈하는 프로그램입니다.

동작과정
1. 🏴 클릭하기
   → 첫 번째 리스트와 두 번째 리스트 값이 무작위로 생성됩니다.
   → 고양이가 각 리스트의 최솟값을 찾아 덧셈합니다.

변수설명

▶ N
리스트에 값을 입력하기 위해 사용하는 변수입니다.
▶ 최솟값1
리스트1의 최솟값을 저장하는 변수입니다.
▶ 최솟값2
리스트2의 최솟값을 저장하는 변수입니다.
▶ 결과
최솟값1과 최솟값2의 합을 저장하는 변수입니다.

코딩 스프라이트	고양이

지시사항

▶ **리스트 생성** 추가블록
1) 다음 지시사항을 순서대로 '10'번 반복하는 스크립트를 작성하시오.
   ① '1'부터 '100'사이의 난수를 리스트 1에 추가하시오.
   ② '1'부터 '100'사이의 난수를 리스트 2에 추가하시오.

유의사항

지시사항에서 설명한 블록만 이용하시오.
그렇지 않은 경우 채점되지 않습니다.
지시사항 이외의 블록을 변경하였을 경우 "**다시풀기**" 버튼을 눌러서 초기화 후 문제를 푸시기 바랍니다.

기출유형파악하기 04-연습02

[예제파일 : 기출유형파악하기04-연습02 문제.sb2]　　　　　[정답파일 : 기출유형파악하기04-연습02 정답.sb2]

YBM Coding Specialist

설명
평균 미세먼지를 알려주는 프로그램입니다

동작과정
1. 🏴 클릭하기
   → 평균 미세먼지 리스트가 랜덤으로 변합니다
   → 고양이가 평균 미세먼지 리스트의 평균을 계산합니다
2. 프로그램 종료하기

변수설명

▶ N
리스트의 값을 세기 위해 사용하는 변수입니다
▶ 합
리스트의 값들의 합을 저장하는 변수입니다
▶ 평균
리스트의 값들의 평균을 저장하는 변수입니다

코딩 스프라이트	고양이

지시사항

▶ **리스트생성** 추가블록
1) 다음 지시사항을 순서대로 '**15**'번 반복하는 스크립트를 작성하시오
2) '**10**'부터 '**300**' 사이의 난수 항목을 **2월 미세먼지 농도** 리스트에 추가하시오

유의사항

보기블록에서 주어진 블록만 이용하시오.

기출유형파악하기 04-연습03

[예제파일 : 기출유형파악하기04-연습03 문제.sb2]   [정답파일 : 기출유형파악하기04-연습03 정답.sb2]

설명
평균 기온을 알려주는 프로그램입니다.

동작과정
1. ▶ 클릭하면
    → 1일~15일까지 평균 기온 리스트가 랜덤으로 변합니다.
    → 고양이가 평균 기온 리스트의 평균을 계산합니다.
2. 프로그램 종료하기

변수설명

▶ 합
리스트의 합쳐진 값을 저장하는 변수입니다.
▶ N
리스트에 값을 입력하기 위해 사용하는 변수입니다.
▶ 평균
리스트의 합을 항목 수 만큼 나누어서 저장한 변수입니다.

코딩 스프라이트	고양이

지시사항
▶ **계산** 추가블록
1) 4월 평균 기온 리스트의 항목 수가 N보다 작아질 때까지 반복하는 스크립트를 작성하시오.
    ① 합을 **N** 번째 4월 평균 기온 항목만큼 바꾸기 하시오.
    ② **N**을 '**1**'만큼 바꾸기 하시오.
2) **평균** 변수를 합 / 4월 평균 기온 리스트의 항목 수 만큼 정하기 하시오.

유의사항
지시사항에서 설명한 블록만 이용하시오.
그렇지 않은 경우 채점되지 않습니다.
지시사항 이외의 블록을 변경하였을 경우 "**다시풀기**" 버튼을 눌러서 초기화 후 문제를 푸시기 바랍니다.

기출유형파악하기 05

[예제파일 : 기출유형파악하기05문제.sb2]   [정답파일 : 기출유형파악하기05정답.sb2]

YBM Coding Specialist

설명

네 자리의 자연수를 주어진 예시와 같이 값을 계산하는 프로그램입니다.

동작과정

1. 🏳 클릭하기
   → 주어진 예시의 수식을 이용하여 '5814'를 계산합니다.
   → 고양이가 계산 결과 '9'를 말합니다.
2. 프로그램 종료하기

※ 예시	※ 참고
	((천의 자릿수 x백의 자릿수−십의 자릿수) /일의 자릿수)의 바닥함수

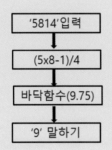

```
'5814'입력
   │
   ▼
(5x8-1)/4
   │
   ▼
바닥함수(9.75)
   │
   ▼
'9' 말하기
```

변수설명

▶ 결과
  계산 결과를 저장하는 변수입니다.

코딩 스프라이트	고양이

지시사항

▶ **계산** 추가블록
1) '((천의 자릿수 x 백의 자릿수 − 십의 자릿수) / 일의 자릿수)의 바닥함수'를 계산하여 결과 변수 값을 말하
   도록 스크립트를 완성하시오.

※참고

자연수	계산결과
4567	2
9725	12

유의사항

지시사항에서 설명한 블록만 이용하시오.
그렇지 않은 경우 채점되지 않습니다.
지시사항 이외의 블록을 변경하였을 경우 "**다시풀기**" 버튼을 눌러서 초기화 후 문제를 푸시기 바랍니다.

풀이과정

스프라이트 : **고양이**

풀이1 : A, B 변수를 만들어 조립

예제 블록	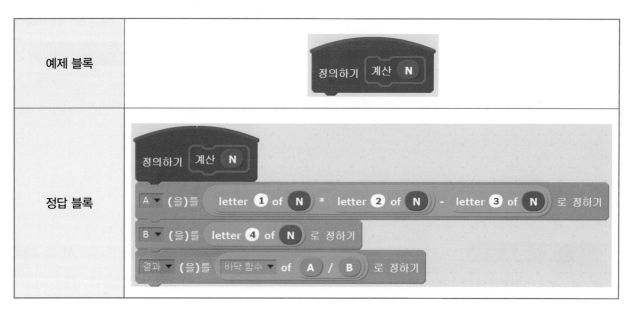
정답 블록	

1. [데이터] 팔레트 아래의 변수 만들기 클릭하여  상자가 표시되면 변수 이름에 A 입력 → 확인 클릭합니다.

2. [데이터] 팔레트 아래의 변수 만들기 클릭하여  상자가 표시되면 변수 이름에 B 입력 → 확인 클릭합니다.

3. 계산 추가블록 아래에 아래와 같이 조립합니다.

4. [데이터] 팔레트의 결과 (을)를 0 로 정하기 블록을 정의하기 N 블록 아래로 드래그합니다.

5. 결과를 클릭하여 A로 선택합니다.

6. [데이터] 팔레트의 결과 (을)를 0 로 정하기 블록을 A (을)를 로 정하기 블록 아래로 드래그합니다.

7. 결과를 클릭하여 B로 선택합니다.

8. [데이터] 팔레트의 결과 (을)를 0 로 정하기 블록을 블록 아래로 드래그합니다.

9. A (을)를 로 정하기 블록의 정하는 값은 [연산] 팔레트의 ○*○ ○-○ 2개의 연산 팔레트를 이용하여 letter 1 of N * letter 2 of N - letter 3 of N 블록을 조립합니다.

10. [연산] 팔레트의 `letter 1 of world` 을 이용하여 1,2,3번째 숫자를 드래그하여 조립합니다.

11. `B ▼ (을)를 □ 로 정하기` 블록의 정하는 값은 [연산] 팔레트의 `letter 1 of world` 을 이용하여 4번째 숫자를 드래그하여 조립합니다.

12. `결과 ▼ (을)를 0 로 정하기` 블록의 정하는 값은 [연산] 팔레트의 `제곱근 ▼ of 9` 블록을 드래그 한 후 제곱근 값 대신 바닥함수를 선택합니다. 9에 [연산] 팔레트의 `○ / ○` 블록을 이용하여 `바닥 함수 ▼ of ( A / B )` 와 같이 조립합니다.

13. 🏁 클릭하여 프로젝트를 실행합니다.

풀이2 : 결과 변수만 이용하여 조립

1. 정의하기 N아래에 아래와 같이 조립합니다.

2. `결과 ▼ (을)를 0 로 정하기` 블록의 정하는 값은 [연산] 팔레트의 `제곱근 ▼ of 9` 블록을 드래그 한 후 제곱 근 값 대신 바닥함수를 선택합니다. 9에 [연산] 팔레트의 `○ / ○` 블록을 이용하여 다음과 같이 조립합니다.

3. [연산] 팔레트의 `letter 1 of world` 을 이용하여 1,2,3,4번째 숫자를 드래그하여 조립합니다.

4. [연산] 팔레트의 `○ * ○` `○ - ○` 2개의 연산 팔레트를 이용하여 `letter 1 of N * letter 2 of N - letter 3 of N` 블록을 조립합니다.

5. `○ / ○` 블록의 첫 번째 칸에 `letter 1 of N * letter 2 of N - letter 3 of N` 조립합니다.

6. `○ / ○` 블록의 두 번째 칸에는 `letter 4 of N` 블록을 드래그하여 조립합니다.

7. 🏁 클릭하여 프로젝트를 실행합니다.

🔍 **TIP** 스크립트를 자유롭게 작성하시오 문제이므로 풀이1, 풀이2 모두 정답으로 채점됩니다.
수험생들이 이해하기에는 풀이2는 다소 복잡하므로 풀이1로 작성하는게 이해가 쉽고 간단한 방법입니다.

기출유형파악하기 05-연습01

[예제파일 : 기출유형파악하기05-연습01 문제.sb2]   [정답파일 : 기출유형파악하기05-연습01 정답.sb2]

YBM Coding Specialist

설명

네 자리의 자연수를 주어진 예시와 같이 값을 계산하는 프로그램입니다.

동작과정

1. 클릭하기
   → 주어진 예시의 수식을 이용하여 '2317'을 계산합니다.
   → 고양이가 계산 결과 '13'을 말합니다.

※ 예시

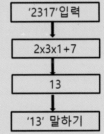

※ 참고
천의 자릿수 x 백의 자릿수 x 십의 자릿수 + 일의 자릿수

변수설명

▶ 결과
   계산 결과를 저장하는 변수입니다.

코딩 스프라이트	고양이

지시사항

▶ **계산** 추가블록
1) '천의 자릿수 x 백의 자릿수 x 십의 자릿수 + 일의 자릿수'를 계산하여 결과 변수 값을 말하도록 스크립트를 완성하시오.

※참고

자연수	계산결과
4167	31
2549	49

유의사항

지시사항에서 설명한 블록만 이용하시오.
그렇지 않은 경우 채점되지 않습니다.
지시사항 이외의 블록을 변경하였을 경우 **"다시풀기"** 버튼을 눌러서 초기화 후 문제를 푸시기 바랍니다.

기출유형파악하기 05-연습02

[예제파일 : 기출유형파악하기05-연습02 문제.sb2]   [정답파일 : 기출유형파악하기05-연습02 정답.sb2]

YBM Coding Specialist

설명
네 자리의 자연수를 주어진 예시와 같이 값을 계산하는 프로그램입니다

동작과정
1. 🚩 클릭하기
   → 주어진 예시의 수식을 이용하여 을 계산합니다.   → 고양이가 계산 결과를 말합니다.
2. 프로그램 종료하기

※ **예시**

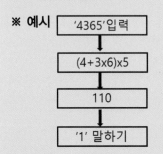

```
'4365'입력
   ↓
(4+3x6)x5
   ↓
  110
   ↓
'1' 말하기
```

※ **참고**
(천의 자릿수 + 백의 자릿수 x 십의 자릿수) x 일의자릿수 계산값의 일의 자릿수

변수설명

▶ 결과
  계산 결과를 저장하는 변수입니다.

코딩 스프라이트	고양이

지시사항

▶ **계산 추가블록**
1) 천의 자릿수 백의 자릿수 십의 자릿수 일의 자릿수 의 일의 자릿수를 계산하여 결과 변수 값을 말하도록 스크립트를 완성하시오.

〈참고〉

자연수	계산결과
8594	2
1425	4

유의사항

지시사항에서 설명한 블록만 이용하시오.
그렇지 않은 경우 채점되지 않습니다.
지시사항 이외의 블록을 변경하였을 경우 **"다시풀기"** 버튼을 눌러서 초기화 후 문제를 푸시기 바랍니다.

기출유형파악하기 05-연습03

[예제파일 : 기출유형파악하기05-연습03 문제.sb2]   [정답파일 : 기출유형파악하기05-연습03 정답.sb2]

YBM Coding Specialist

설명
네 자리의 자연수를 주어진 예시와 같이 값을 계산하는 프로그램입니다.

동작과정
1. ▶ 클릭하기
   → 주어진 예시의 수식을 이용하여 '8765'을 계산합니다.
   → 고양이가 계산 결과 '1'를 말합니다.
2. 프로그램 종료하기

※ **예시**

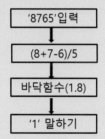

'8765'입력

↓

(8+7-6)/5

↓

바닥함수(1.8)

↓

'1' 말하기

※ **참고**
(천의 자릿수 + 백의 자릿수 – 십의 자릿수) / 일의 자릿수

변수설명

▶ 결과
계산 결과를 저장하는 변수입니다.

코딩 스프라이트	고양이

지시사항

▶ **계산** 추가블록
1) '(천의 자릿수 + 백의 자릿수 – 십의 자릿수) / 일의 자릿수'를 계산하여 결과 변수 값을 말하도록 스크립트를 완성하시오.

※참고

자연수	계산결과
4569	0
9514	3

유의사항

지시사항에서 설명한 블록만 이용하시오.
그렇지 않은 경우 채점되지 않습니다.
지시사항 이외의 블록을 변경하였을 경우 **"다시풀기"** 버튼을 눌러서 초기화 후 문제를 푸시기 바랍니다.

기출유형파악하기 06

[예제파일 : 기출유형파악하기06문제.sb2]   [정답파일 : 기출유형파악하기06정답.sb2]

YBM Coding Specialist

설명
두 수 중에서 작은수에 2를 곱하여 큰수와 비교하는 프로그램입니다.

동작과정
1. 🏴 클릭하기
   → 큰수과 작은수를 결정합니다.
   → 작은수에 2를 곱한 후 큰수와 비교합니다.
   → 고양이가 결과를 말합니다.
2. 프로그램 종료하기

변수설명
▶ 작은값
  두 수 중에서 작은수를 저장하는 변수입니다.
▶ 큰값
  두 수 중에서 큰수를 저장하는 변수입니다.

코딩 스프라이트	고양이

지시사항

▶ 🏴 클릭했을 때
1) 아래 순서도를 참고하여 큰수와 작은수를 비교하여 말하도록
   빈칸을 완성하시오.

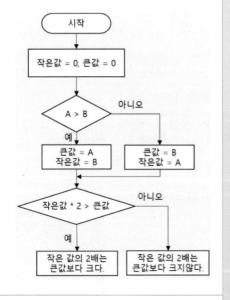

유의사항

지시사항에서 설명한 블록만 이용하시오.
그렇지 않은 경우 채점되지 않습니다.
지시사항 이외의 블록을 변경하였을 경우 **"다시풀기"** 버튼을 눌러서 초기화 후 문제를 푸시기 바랍니다.

⚙️ 풀이과정

스프라이트 : **고양이**

예제 블록	정답 블록
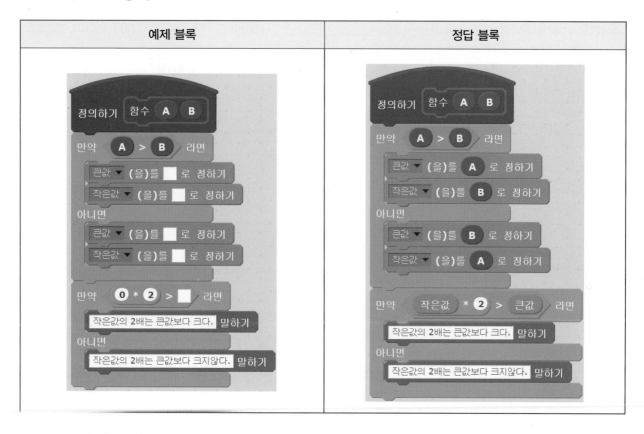	

1. 만약 `A > B` 라면 : A값과 B값을 비교하여 A값이 더 큰 경우이므로

2. 함수 옆의 `A` 를 큰 값을 □로 드래그 합니다.

3. 함수 옆의 `B` 를 작은 값을 □로 드래그 합니다.

4. 아니면 : A값과 B값을 비교하여 B값이 더 큰 경우이므로

5. 함수 옆의 `B` 를 큰 값을 □로 드래그 합니다.

6. 함수 옆의 `A` 를 작은 값을 □로 드래그 합니다.

7. [데이터] 팔레트의 `큰값` , `작은값` 블록을 드래그하여 `작은값 * 2 > 큰값` 와 같이 조립합니다.

8. 🚩 클릭하여 프로젝트를 실행합니다.

기출유형파악하기 06-연습01

[예제파일 : 기출유형파악하기06-연습01 문제.sb2]   [정답파일 : 기출유형파악하기06-연습01 정답.sb2]

YBM Coding Specialist

설명
두 수 중에서 큰값을 제곱근하여 작은값과 비교하는 프로그램입니다.

동작과정
1. 🏳 클릭하기
   → 두 수를 비교하여 큰값과 작은값을 판단합니다.
   → 큰값의 제곱근과 작은값을 비교합니다.

변수설명
▶ 작은값
   A와 B중에서 작은 수를 저장하는 변수입니다.
▶ 큰값
   A와 B중에서 큰 수를 저장하는 변수입니다.

코딩 스프라이트	고양이

지시사항

▶ **함수** 추가블록
1) 아래 순서도를 참고하여 스크립트의 빈칸을 완성하시오.

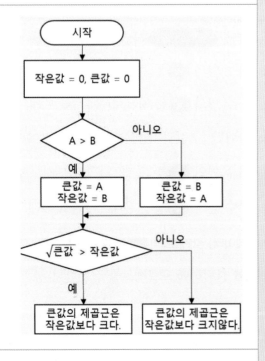

유의사항
지시사항에서 설명한 블록만 이용하시오.
그렇지 않은 경우 채점되지 않습니다.
지시사항 이외의 블록을 변경하였을 경우 "**다시풀기**" 버튼을 눌러서 초기화 후 문제를 푸시기 바랍니다.

기출유형파악하기 06-연습02

[예제파일 : 기출유형파악하기06-연습02 문제.sb2]   [정답파일 : 기출유형파악하기06-연습02 정답.sb2]

YBM Coding Specialist

설명
세 숫자 중에서 가장 작은수를 찾는 프로그램입니다.

동작과정
1. 🏳 클릭하기
   → A와 B를 비교해서 작은값을 최솟값에 대입합니다.
   → 최솟값과 C를 비교해서 작은값을 최솟값에 대입합니다.
   → 고양이가 계산 결과를 말합니다.
2. 프로그램 종료하기

변수설명
▶ 최솟값
  가장 작은수를 지정하기 위한 변수입니다

코딩 스프라이트	고양이

지시사항

▶ **계산** 추가블록
1) 아래 순서도를 참고하여 가장 작은 수를 계산하도록 빈칸을 완성하시오.

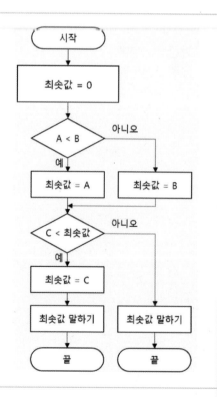

유의사항

지시사항에서 설명한 블록만 이용하시오.
그렇지 않은 경우 채점되지 않습니다.
지시사항 이외의 블록을 변경하였을 경우 **"다시풀기"** 버튼을 눌러서 초기화 후 문제를 푸시기 바랍니다.

기출유형파악하기 06-연습03

[예제파일 : 기출유형파악하기06-연습03 문제.sb2]   [정답파일 : 기출유형파악하기06-연습03 정답.sb2]

YBM Coding Specialist

설명
입력받은 숫자의 배수를 n개 말하는 프로그램입니다.

동작과정
1. 🏳 클릭하면
   → 입력할 숫자와 말할 배수의 개수를 입력 받는다.
   → 입력한 숫자의 배수를 n개 말한다.
2. 프로그램 종료하기

변수설명
▶ n
   숫자의 배수를 입력받기 위해 사용하는 변수입니다.

코딩 스프라이트	고양이

지시사항

▶ **계산** 추가블록
1) 아래 순서도를 참고하여 작은 수부터 큰 수까지의 합을 계산하도록 빈칸을 완성하시오.

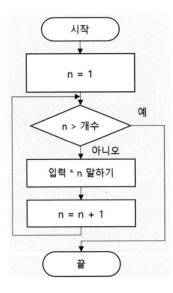

유의사항

지시사항에서 설명한 블록만 이용하시오.
그렇지 않은 경우 채점되지 않습니다.
지시사항 이외의 블록을 변경하였을 경우 "**다시풀기**" 버튼을 눌러서 초기화 후 문제를 푸시기 바랍니다.

기출유형파악하기 07

[예제파일 : 기출유형파악하기07문제.sb2]   [정답파일 : 기출유형파악하기07정답.sb2]

YBM Coding Specialist

설명
박물관 하루 총 수입을 계산하는 프로그램입니다.

동작과정
1. 🚩 클릭하기
   → 리스트의 값들을 검색합니다.
   → 대상별 입장료를 계산합니다.
      ▶ 스탠다드는 6,800원입니다.   ▶ 스마트는 12,300원입니다.
      ▶ 패스트는 24,600원입니다.
2. 프로그램 종료하기

변수설명

▶ N
박물관에 입장하는 대상을 무작위로 만들기 위해 사용하는 변수입니다.
▶ 수입
박물관의 하루 총 입장료 수입을 계산하여 저장하는 변수입니다.

코딩 스프라이트	고양이

지시사항

▶ **추가** 추가블록
1) 손님 리스트의 항목 수가 '10'이 될 때까지 다음 지시사항을 반복하는 스크립트를 작성하시오.
   ① **N** 변수를 '1'부터 '3' 사이의 난수로 정하시오.   ② **판단** 추가블록을 실행하시오.

▶ **판단** 추가블록
1) 만약 **N** 변수가 '1'이면 다음 스크립트를 순서대로 작성하시오.
   ① **스탠다드** 항목을 손님 에 추가하시오.   ② **수입** 변수를 '6800'만큼 바꾸시오
2) 만약 **N** 변수가 '2'이면 다음 스크립트를 순서대로 작성하시오
   ① **스마트** 항목을 손님에 추가하시오.   ② **수입** 변수를 '12300'만큼 바꾸시오.
3) 만약 **N** 변수가 '3'이면 다음 스크립트를 순서대로 작성하시오.
   ① **패스트** 항목을 손님에 추가하시오.   ② **수입** 변수를 '24600'만큼 바꾸시오.

유의사항

보기블록 스프라이트에 주어진 블록만 이용하시오.
그렇지 않은 경우 채점되지 않습니다.
지시사항 이외의 블록을 변경하였을 경우 **"다시풀기"** 버튼을 눌러서 초기화 후 문제를 푸시기 바랍니다.

풀이과정

스프라이트 : **고양이**

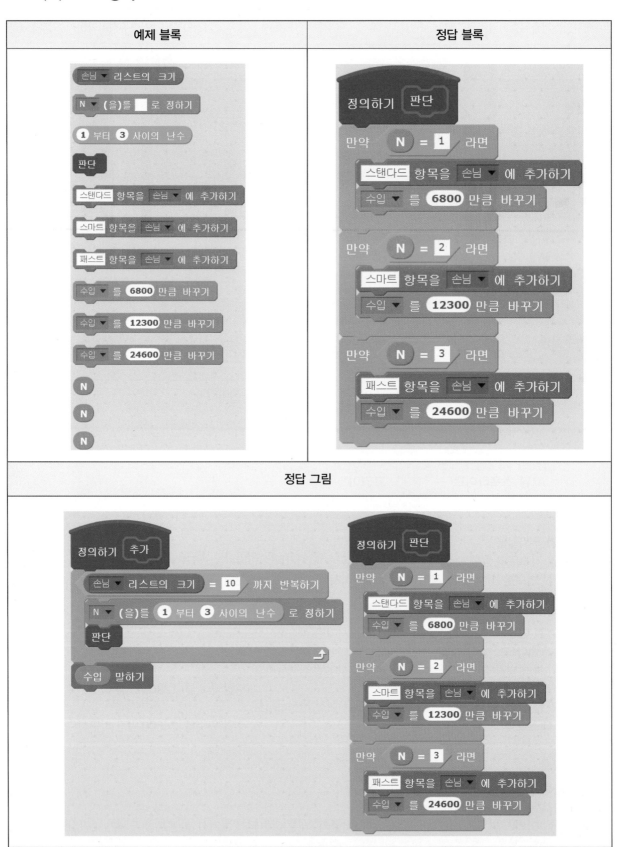

1. 보기블록 스프라이트를 클릭합니다.

2. 문제 보기블록을 고양이 스프라이트로 드래그하여 보기블록에 주어진 블록을 복사합니다.(조립 가능한 블록은 조립하여 복사하고 조립 불가능한 블록은 여러번 반복하여 복사함)

3. 정답 보기 블록처럼 조립합니다.

4. ▶ 클릭하여 프로젝트를 실행합니다.

TIP 보기블록 문제시 블록 복사하는 가장 정확한 방법은 보기블록에 주어진 블록을 드래그하면서 흰색 마우스 포인터가 정확히 복사하고자 하는 스프라이트의 안에 드래그합니다.
만일, 드래그 하는 도중에 스크립트 창으로 드래그하게 되면 보기 블록의 블록이 사라지게 됩니다. 블록이 사라지게 되면 다시 풀기 버튼을 클릭하여 문제를 초기화 한 후 문제 풀기를 시작합니다.

기출유형파악하기 07-연습01

[예제파일 : 기출유형파악하기07-연습01 문제.sb2]   [정답파일 : 기출유형파악하기07-연습01 정답.sb2]

YBM Coding Specialist

설명

비행기 승객의 총 탑승 요금을 계산하는 프로그램입니다.

동작과정

1. 🏴 클릭하기
   → 리스트의 값을 검색합니다.
   → 수입을 계산합니다.
      ▶ 청소년의 탑승료는 80,000원입니다.   ▶ 유공자의 탑승료는 120,000원입니다.
      ▶ 성인의 탑승료는 150,000원입니다.
   → 고양이가 총 탑승요금을 말합니다.

변수설명

▶ N
리스트의 값을 검색하기 위한 변수입니다.
▶ 수입
공항의 일주일 총 수입을 계산하여 저장하는 변수입니다.
▶ 유형
탑승객의 유형을 저장하는 변수입니다.

코딩 스프라이트	고양이

지시사항

▶ 🏴 *클릭했을 때*
1) 다음 지시사항을 순서대로 동작하는 스크립트를 작성하시오.
   ① **N** 변수를 '**1**'로 정하시오   ② **수입** 변수를 '**0**' 으로 정하시오.
   ③ **승객** 리스트의 항목을 모두 삭제하시오.   ④ **탑승** 추가블록을 실행하시오.
   ⑤ **계산** 추가블록을 실행하시오.   ⑥ **수입** 변수를 말하시오.

▶ **계산** 추가블록
1) N 변수가 '**50**'보다 커질 때까지 다음 지시사항을 순서대로 반복하도록 빈 칸을 채우시오.
   ① **승객** 리스트의 N번째 항목이 **청소년** 이면 숫입 변수를 '**80000**'만큼 바꾸시오
   ② **승객** 리스트의 N번째 항목이 **유공자** 이면 수입 변수를 '**120000**' 만큼 바꾸시오.
   ③ **승객** 리스트의 N번째 항목이 **성인** 이면 수입변수를 '**150000**' 만큼 바꾸시오.

유의사항

지시사항에서 설명한 블록만 이용하시오.
그렇지 않은 경우 채점되지 않습니다.
지시사항 이외의 블록을 변경하였을 경우 "**다시풀기**" 버튼을 눌러서 초기화 후 문제를 푸시기 바랍니다.

기출유형파악하기 07-연습02

[예제파일 : 기출유형파악하기07-연습02 문제.sb2]　　　　　　[정답파일 : 기출유형파악하기07-연습02 정답.sb2]

설명
핸드폰 요금을 계산해주는 프로그램입니다

동작과정

1. 🏳 클릭하기
    → 영상통화 걸기 받기 버튼이 있습니다
    → 걸기 받기 버튼을 눌렀을때 시간이 나옵니다
    → 버튼에서 마우스를 멀리하면 통화가 종료됩니다
    → 통화가 종료되면 통화 시간만큼 요금을 말해줍니다
2. 프로그램 종료하기

변수설명

▶ 요금
    요금을 저장하는 변수입니다

코딩 스프라이트	걸기

지시사항

▶ 이 스프라이트가 클릭될 때
1) 다음 지시사항을 마우스 포인터에 닿지 않을 때까지 반복하시오
    ① **요금** 변수를 **타이머**로 정하시오
2) **요금** 변수를 요금변수 * '**150**'으로 정하시오
3) **계산완료** 메시지를 방송하시오

유의사항

보기블록1 스프라이트에 주어진 블록만 이용하시오.
그렇지 않은 경우 채점되지 않습니다.
지시사항 이외의 블록을 변경하였을 경우 **"다시풀기"** 버튼을 눌러서 초기화 후 문제를 푸시기 바랍니다.

코딩 스프라이트	핸드폰

지시사항

▶ **계산완료** 메시지를 받았을 때
1) **요금** 변수와 '**원입니다.**'를 결합하여 말하시오

유의사항

보기블록2 스프라이트에 주어진 블록만 이용하시오.
그렇지 않은 경우 채점되지 않습니다.
지시사항 이외의 블록을 변경하였을 경우 **"다시풀기"** 버튼을 눌러서 초기화 후 문제를 푸시기 바랍니다.

기출유형파악하기 07-연습03

[예제파일 : 기출유형파악하기07-연습03 문제.sb2]   [정답파일 : 기출유형파악하기07-연습03 정답.sb2]

YBM Coding Specialist

설명

스키장에서 물건을 빌리는 프로그램입니다.

동작과정

1. 🏳 클릭하면
2. 스키복, 스키도구 중 빌릴 물건이 있으면 입력합니다.
    → 스키복을 입력하면 '어린이' 또는 '어른'을 입력합니다.
    → 더 빌릴물건이 있으면 '네' 또는 '아니오'를 입력합니다.
3. 대여를 마치면 대여료값을 말합니다.
4. 프로그램 종료하기

변수설명

▶ 가격
  물건의 가격을 저장하는 변수입니다.
▶ 물건
  물건의 종류를 저장하는 변수입니다.
▶ 대상
  물건을 빌리는 대상을 지정하는 변수입니다.

코딩 스프라이트	고양이

지시사항

▶ **계산** 추가블록
1) 물건이 스키복일때의 지시사항을 순서대로 반복하는 스크립트를 작성하시오.
    ① 만약 대상 이 어른이면 '**가격**'을 '**10000**' 만큼 바꾸시오.
    ② 만약 대상 이 어린이 이면 '**가격**'을 '**5000**' 만큼 바꾸시오.

유의사항

지시사항에서 설명한 블록만 이용하시오.
그렇지 않은 경우 채점되지 않습니다.
지시사항 이외의 블록을 변경하였을 경우 "**다시풀기**" 버튼을 눌러서 초기화 후 문제를 푸시기 바랍니다.

기출유형파악하기 08

[예제파일 : 기출유형파악하기08문제.sb2]   [정답파일 : 기출유형파악하기08정답.sb2]

설명

온도에 따라 풍선의 부피가 변화하는 프로그램입니다.

동작과정

1. 🚩 클릭하기
   → 스위치가 켜져 있으면 풍선이 커집니다.
   → 위치가 꺼지면 풍선이 작아집니다.
2. 프로그램 종료하기

변수설명

▶ 스위치
   드라이어의 상태를 나타내는 변수입니다.

코딩 스프라이트	풍선

지시사항

▶ **팽창** 추가블록
1) 만약 풍선 스프라이트의 크기가 '**100**'보다 크면 다음 지시사항을 순서대로 작성하시오.
   ① 모양을 **풍선터짐** 으로 바꾸시오.
   ② 스크립트를 모두 멈추시오.

▶ **축소** 추가블록
1) 만약 풍선 스프라이트의 크기가 '**50**'보다 작으면 다음 지시사항을 순서대로 작성하시오.
   ① 크기를 '**50%**'으로 정하시오.
   ② 스크립트를 모두 멈추시오.

유의사항

지시사항에서 설명한 블록만 이용하시오.
그렇지 않은 경우 채점되지 않습니다.
지시사항 이외의 블록을 변경하였을 경우 "**다시풀기**" 버튼을 눌러서 초기화 후 문제를 푸시기 바랍니다.

⚙️ 풀이과정

스프라이트 : **풍선**

예제 블록	정답 블록
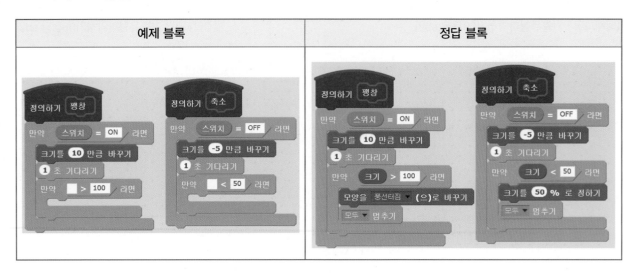	

1. 팽창, 축소 추가 블록에 아래에 아래와 같이 조립합니다.

2. [형태] 팔레트의 크기 블록을 [ ] > 100 , [ ] < 50 팔레트로 드래그합니다.

3. [형태] 팔레트의 모양을 풍선터짐 ▼ (으)로 바꾸기 을 만약 크기〉100 아래로 드래그합니다.

4. [제어] 팔레트의 모두 ▼ 멈추기 을 모양을 풍선터짐 ▼ (으)로 바꾸기 아래로 드래그합니다.

5. [형태] 팔레트의 크기를 100 % 로 정하기 를 크기〈50 아래로 드래그 한후 100를 마우스로 클릭 한 후 50 입력합니다.

6. [제어] 팔레트의 모두 ▼ 멈추기 을 크기를 50 % 로 정하기 아래로 드래그합니다.

7. 🚩 클릭하여 프로젝트를 실행합니다.

기출유형파악하기 08-연습01

[예제파일 : 기출유형파악하기08-연습01 문제.sb2]   [정답파일 : 기출유형파악하기08-연습01 정답.sb2]

YBM Coding Specialist

설명

호랑이가 동아줄을 타고 소년을 잡으러 가는 게임입니다.

동작과정

1. 🏴 클릭하기
2. 썩은 동아줄을 클릭합니다.
   → 호랑이가 올라가다가 떨어집니다.
3. 온전한 동아줄을 클릭합니다.
   → 호랑이가 올라가서 소년을 쫓아갑니다.
4. 프로그램 종료하기

코딩 스프라이트	소년

지시사항

▶ **쫓기** 메시지를 받았을 때

1) 다음 지시사항을 순서대로 무한 반복하게 작성하시오.
   ① 스프라이트를 '**10**'만큼 움직이시오.
   ② 스프라이트를 다음 모양으로 바꾸시오.
   ③ 만약 스프라이트가 벽에 닿으면 스프라이트를 숨기시오.

유의사항

보기블록1 스프라이트에 주어진 블록만 이용하시오.

그렇지 않은 경우 채점되지 않습니다.

지시사항 이외의 블록을 변경하였을 경우 **"다시풀기"** 버튼을 눌러서 초기화 후 문제를 푸시기 바랍니다.

코딩 스프라이트	호랑이

지시사항

▶ **끊어짐** 메시지를 받았을 때

1) 벽에 닿을 때 까지 다음 지시사항을 순서대로 반복하는 스크립트를 작성하시오.
   ① y좌표를 '**-10**'만큼 바꾸시오.
   ② 왼쪽 방향으로 '**-2**'도 돌기 하시오.
2) 숨기기 하시오.

유의사항

보기블록2 스프라이트에 주어진 블록만 이용하시오.

그렇지 않은 경우 채점되지 않습니다.

지시사항 이외의 블록을 변경하였을 경우 **"다시풀기"** 버튼을 눌러서 초기화 후 문제를 푸시기 바랍니다.

기출유형파악하기 08-연습02

[예제파일 : 기출유형파악하기08-연습02 문제.sb2]   [정답파일 : 기출유형파악하기08-연습02 정답.sb2]

YBM Coding Specialist

설명

가위바위보를 하는 프로그램입니다

동작과정

1. ⚑ 클릭하기
   → 키보드의 a, s, d 키로 가위 바위 보를 결정합니다
   → 비겼으면 다시 가위 바위 보를 결정합니다
   → 승부결과를 말해줍니다
2. 프로그램 종료하기

변수설명

▶ 사용자
  사용자가 선택한 경우를 지정하는 변수입니다
▶ 컴퓨터
  컴퓨터가 선택한 경우를 저장하는 변수입니다

코딩 스프라이트	사용자

지시사항

▶ **가위바위보** 추가블록
1) **컴퓨터** 변수와 **사용자** 변수가 같지 않을 때까지 고르기 추가블록 실행을 반복하시오

▶ **바위** 추가블록
1) 만약 **컴퓨터** 변수가 '**2**'라면 **win**을 말하시오
2) 만약 **컴퓨터** 변수가 '**3**'라면 **lose**를 말하시오

유의사항

지시사항에서 설명한 블록만 이용하시오.
그렇지 않은 경우 채점되지 않습니다.
지시사항 이외의 블록을 변경하였을 경우 **"다시풀기"** 버튼을 눌러서 초기화 후 문제를 푸시기 바랍니다.

기출유형파악하기 08-연습03

[예제파일 : 기출유형파악하기08-연습03 문제.sb2]   [정답파일 : 기출유형파악하기08-연습03 정답.sb2]

YBM Coding Specialist

설명

호랑이가 동아줄을 타고 원숭이을 잡으러 가는 게임입니다.

동작과정

1. 🏳 클릭하기
2. 썩은 동아줄을 클릭합니다.
   → 호랑이가 올라가다가 떨어집니다.
3. 온전한 동아줄을 클릭합니다.
   → 호랑이가 올라가서 원숭이를 쫓아갑니다.
4. 프로그램 종료하기

코딩 스프라이트	원숭이

지시사항

▶ **쫓기** 메시지를 받았을 때
1) 다음 지시사항을 순서대로 무한 반복하게 작성하시오.
　① 스프라이트를 '**10**' 만큼 움직이시오.   ② 스프라이트를 다음 모양으로 바꾸시오.

▶ 🏳 를 클릭했을 때
1) 다음 지시사항을 순서대로 작성하시오.
　① x: '**5**', y: '**30**'로 가시오.   ② 맨 앞으로 나오기 하시오.
　③ 원숭이 모습을 보이기 하시오.   ④ 크기를 '**70**'%로 정하기 하시오.

유의사항

지시사항에서 설명한 블록만 이용하시오.
그렇지 않은 경우 채점되지 않습니다.
지시사항 이외의 블록을 변경하였을 경우 "**다시풀기**" 버튼을 눌러서 초기화 후 문제를 푸시기 바랍니다.

코딩 스프라이트	호랑이

지시사항

▶ **끊어짐** 메시지를 받았을 때
1) 벽에 닿을 때 까지 다음 지시사항을 순서대로 반복하는 스크립트를 작성하시오.
　① y좌표를 '**-10**'만큼 바꾸시오.   ② 왼쪽 방향으로 '**2**'도 돌기 하시오.
2) 스프라이트의 모양을 숨기시오.

유의사항

지시사항에서 설명한 블록만 이용하시오.
그렇지 않은 경우 채점되지 않습니다.
지시사항 이외의 블록을 변경하였을 경우 "**다시풀기**" 버튼을 눌러서 초기화 후 문제를 푸시기 바랍니다.

03

테스트

기출유형파악하기 09

[예제파일 : 기출유형파악하기09문제.sb2]   [정답파일 : 기출유형파악하기09정답.sb2]

YBM Coding Specialist

설명

두 변의 길이를 입력하면 빗변의 길이를 계산하고 직각 삼각형을 그리는 프로그램입니다.

동작과정

1. ▶ 클릭하기
   → 빗변의 길이를 계산합니다.   → 직각삼각형을 그립니다.
2. 프로그램 종료하기

변수설명

▶ A
   직각삼각형의 첫 번째 변의 길이를 입력받아 저장하는 변수입니다.
▶ B
   직각삼각형의 두 번째 변의 길이를 입력받아 저장하는 변수입니다.
▶ C
   직각삼각형의 빗변을 계산하여 저장하는 변수입니다.

코딩 스프라이트	연필

지시사항

▶ **계산** 추가블록
1) 빗변의 길이를 올바르게 계산하도록
   오른쪽 공식을 참고하여 잘못된 명령 블록을 수정하시오.

▶ **그리기** 추가블록
1) 다음 지시사항을 순서대로 수행하는 스크립트를 작성하시오.
   ① 스프라이트를 좌표위치 x : **A** 변수, y : '**0**'에 위치시키시오
   ② '**0.6**'초 기다리시오
   ③ 스프라이트를 좌표위치 x : 스프라이트의 x좌표, y : **B** 변수에 위치시키시오.
   ④ '**0.6**'초 기다리시오
   ⑤ 스프라이트를 좌표위치 x : '**0**', y : '**0**'에 위치 시키시오.

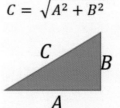

$$C = \sqrt{A^2 + B^2}$$

유의사항

지시사항에서 설명한 블록만 이용하시오.
그렇지 않은 경우 채점되지 않습니다.
지시사항 이외의 블록을 변경하였을 경우 **"다시풀기"** 버튼을 눌러서 초기화 후 문제를 푸시기 바랍니다.

⚙️ 풀이과정

스프라이트 : **연필 : 계산추가블록**

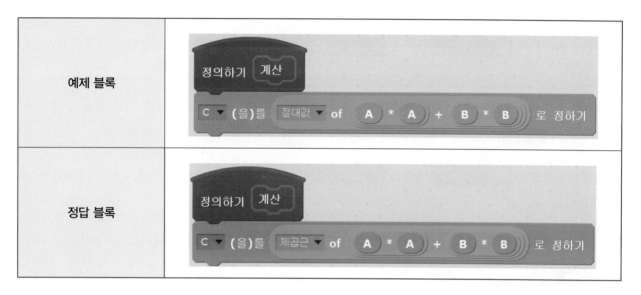

1. 지시사항에서는 계산 추가 블록에서 √ 값을 구하라고 하였으므로 제곱근의 연산식을 사용하여야 하는데, 문제에서는 절대값을 사용하고 있으므로 절대값을 제곱근으로 수정하면 됩니다.

2. 🚩 클릭하여 프로젝트를 실행합니다.

스프라이트 : **연필 : 그리기추가블록**

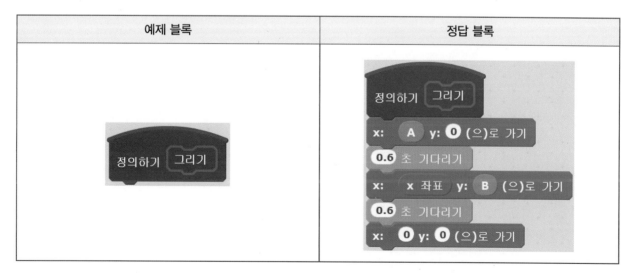

1. 그리기 추가 블록 아래에 아래와 같이 조립합니다.

2. [동작] 팔레트의 x: 0 y: 0 (으)로 가기 블록을 그리기 추가 블록 아래로 드래그 한 후 x값에 [데이터] 팔레트의 A 블록을 드래그합니다.

3. [제어] 팔레트의 1 초 기다리기 블록을 x: A y: 0 (으)로 가기 블록 아래로 드래그 한 후 1초를 0.6초 수정합니다.

4. [동작] 팔레트의 x: 0 y: 0 (으)로 가기 블록을 0.6 초 기다리기 블록 아래로 드래그 한 후 x 값에 [동작] 팔레트의 x 좌표 블록을, y 값에 [데이터] 팔레트의 B 블록을 드래그하여 조립합니다.

5. [제어] 팔레트의 1 초 기다리기 블록을 x: x 좌표 y: B (으)로 가기 블록 아래로 드래그 한 후 1초를 0.6초 수정합니다.

6. [동작] 팔레트의 x: 0 y: 0 (으)로 가기 블록을 0.6 초 기다리기 블록 아래로 드래그 합니다.

7. 🚩 클릭하여 프로젝트를 실행합니다.

기출유형파악하기 09-연습01

[예제파일 : 기출유형파악하기09-연습01 문제.sb2]   [정답파일 : 기출유형파악하기09-연습01 정답.sb2]

YBM Coding Specialist

설명
에어컨이 설정 온도에 도달하면 에어컨 가동이 멈추는 프로그램입니다.

동작과정
1. 🏳 클릭하기
   → 온도가 1도씩 감소합니다.
   → 설정한 온도가 되면 에어컨 동작이 멈춥니다.

변수설명
▶ 설정온도
에어컨을 멈추게 할 온도를 설정하는 변수입니다.
▶ 현재온도
현재 온도를 나타내기 위한 변수입니다.

코딩 스프라이트	에어컨

지시사항

▶ 🏳 클릭했을 때
1) 현재온도 변수가 '**1**'씩 감소하도록 스크립트를 수정하시오.

▶ **판단** 추가블록
1) **Temp** 매개변수가 **설정온도** 변수보다 크면 **에어컨** 스프라이트 모양의 '**ON**'이 되고 그렇지 않으면 '**OFF**
'가 되도록 모양 블록을 수정하시오.

유의사항
지시사항에서 설명한 블록만 이용하시오.
그렇지 않은 경우 채점되지 않습니다.
지시사항 이외의 블록을 변경하였을 경우 "**다시풀기**" 버튼을 눌러서 초기화 후 문제를 푸시기 바랍니다.

기출유형파악하기 09-연습02

[예제파일 : 기출유형파악하기09-연습02 문제.sb2]   [정답파일 : 기출유형파악하기09-연습02 정답.sb2]

YBM Coding Specialist

설명
돈을 환전하는 프로그램입니다

동작과정

1. 🏳 클릭하기
   → 한화가 10,000을 초과할 경우
   → 입력히신 금액의 환전 달러를 계산해서 말해줍니다.
   → 환전할때 필요한 수수료를 말합니다.
   → 수수료를 제외한 거스름돈을 계산하여 말합니다.
   → 환전금액이 10,000을 초과하지 않으면 수수료는 들지 않습니다.
2. 프로그램 종료하기

변수설명

▶ 거스름돈
   거스름돈을 저장하는 변수입니다.
▶ 달러
   환전된 달러를 저장하는 변수입니다.
▶ 수수료
   수수료를 저장하는 변수입니다.
▶ 한화
   환전할 처음 금액을 저장하는 변수입니다.
▶ 환율
   환율을 저장하는 변수입니다.
▶ 환전가능금액
   수수료를 제외한 환전가능한 금액을 저장하는 변수입니다.

코딩 스프라이트	은행원

지시사항

▶ **수수료** 추가블록
1) **환전금액** 매개변수가 '**10000**'보다 크면 수수료를 계산하도록 수정하시오.

▶ **계산** 추가블록
1) **달러**변수를 **환전가능금액**변수 나누기 **환율**변수의 **바닥함수**로 정하시오.

유의사항

지시사항에서 설명한 블록만 이용하시오.
그렇지 않은 경우 채점되지 않습니다.
지시사항 이외의 블록을 변경하였을 경우 "**다시풀기**" 버튼을 눌러서 초기화 후 문제를 푸시기 바랍니다.

기출유형파악하기 09-연습03

[예제파일 : 기출유형파악하기09-연습03 문제.sb2]　　　　　[정답파일 : 기출유형파악하기09-연습03 정답.sb2]

YBM Coding Specialist

설명
돈을 환전하는 프로그램입니다

동작과정
1. 🏴 클릭하면
2. 달러가 100을 초과할 경우.
   → 입력하신 금액의 환전 한화를 계산해서 말해줍니다.
   → 환전할때 필요한 수수료를 말합니다.
   → 수수료를 제외한 거스름돈을 계산하여 말합니다.
3. 100을 초과하지않으면 수수료는 들지 않습니다.
4. 프로그램 종료하기

변수설명

▶ 거스름돈
  거스름돈을 저장하는 변수입니다.
▶ 달러
  환전된 달러를 저장하는 변수입니다.
▶ 수수료
  수수료를 저장하는 변수입니다.
▶ 달러
  환전할 처음 금액을 저장하는 변수입니다.
▶ 환율
  환율을 저장하는 변수입니다.
▶ 환전가능금액
  수수료를 제외한 환전가능한 금액을 저장하는 변수입니다.

코딩 스프라이트	은행원

지시사항

▶ **수수료** 추가블록
1) **환전금액** 매개변수가 '**100**'보다 크면 계산하도록 수정하시오.

▶ **계산** 추가블록
1) **한화**변수를 (**환전가능금액** * **환율**) – **거스름돈**으로 정하시오.

유의사항

지시사항에서 설명한 블록만 이용하시오.
그렇지 않은 경우 채점되지 않습니다.
지시사항 이외의 블록을 변경하였을 경우 "**다시풀기**" 버튼을 눌러서 초기화 후 문제를 푸시기 바랍니다.

기출유형파악하기 10

[예제파일 : 기출유형파악하기10문제.sb2]   [정답파일 : 기출유형파악하기10정답.sb2]

YBM Coding Specialist

설명
떨어지는 코코넛을 카트로 받는 게임입니다.

동작과정

1. 🏳 클릭하기
   → 하늘에서 코코넛이 떨어집니다.
   → 키보드의 좌우화살표키(←,→)를 통해 카트를 움직일 수 있습니다.
   ▶ 코코넛을 받으면 받은 개수가 올라갑니다.
   ▶ 코코넛을 받지 못 하면 떨어진 개수가 올라갑니다.
   ▶ 어진 개수가 '3'이 되면 프로그램이 종료됩니다.

변수설명

▶ 받은 개수
   코코넛을 받은 개수를 저장하는 변수입니다.
▶ 떨어진 개수
   코코넛이 떨어진 개수를 저장하는 변수입니다.

코딩 스프라이트	코코넛

지시사항

▶ **판별** 추가블록
1) **코코넛** 스프라이트가 **카트** 스프라이트에 닿으면 **받은 개수** 변수를 '**1**'씩 증가하고, 아니면 떨어진 개수 변수를 '**1**'씩 증가하도록 스크립트를 수정하시오.

유의사항

지시사항에서 설명한 블록만 이용하시오.
그렇지 않은 경우 채점되지 않습니다.
지시사항 이외의 블록을 변경하였을 경우 "**다시풀기**" 버튼을 눌러서 초기화 후 문제를 푸시기 바랍니다.

⚙ 풀이과정

스프라이트 : **코코넛**

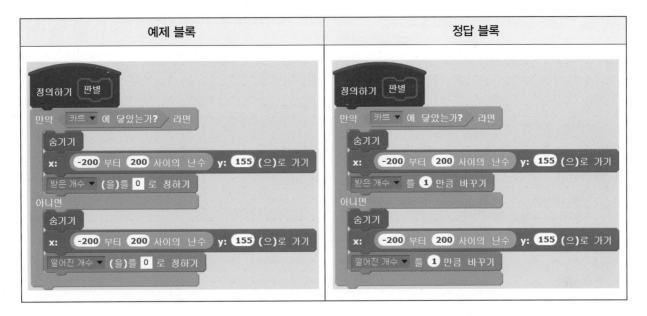

예제 블록	정답 블록

1. 받은 개수 ▼ (을)를 **0** 로 정하기 : 카트에 닿으면 받은 개수 변수를 1로 바꿔야 하므로

   받은 개수 ▼ (을)를 **0** 로 정하기 블록을 스크립트 창으로 드래그하여 블록을 삭제 한 후 [데이터] 팔레트의

   받은 개수 ▼ 를 **1** 만큼 바꾸기 블록을 느래그 합니다.

2. 떨어진 개수 ▼ (을)를 **0** 로 정하기 : 카트에 닿지 않으면 떨어진 개수 변수를 1로 바꿔야 하므로

   떨어진 개수 ▼ (을)를 **0** 로 정하기 블록을 스크립트 창으로 드래그하여 블록을 삭제 한 후 [데이터] 팔레트의

   떨어진 개수 ▼ 를 **1** 만큼 바꾸기 블록을 드래그 합니다.

3. 🚩 클릭하여 프로젝트를 실행합니다.

기출유형파악하기 10-연습01

[예제파일 : 기출유형파악하기10-연습01 문제.sb2]   [정답파일 : 기출유형파악하기10-연습01 정답.sb2]

YBM Coding Specialist

설명
떨어지는 접시를 받는 프로그램입니다.

동작과정
1. 🏳 클릭하기
   → 무대 위에서 접시가 떨어집니다.
   → 키보드의 화살표키(←,→)를 이용하여 좌우로 움직여 접시를 받습니다.

변수설명

▶ 받은 개수
  접시를 받은 개수를 저장하는 변수입니다.
▶ 실수
  못받은 접시의 개수를 저장하는 변수입니다.
▶ 위치
  접시가 떨어지는 위치를 결정하는 변수입니다.

코딩 스프라이트	접시

지시사항

▶ **이동** 추가블록
1) 접시 스프라이트가 벽에 닿으면 실수 변수가 '1'씩 증가하도록 명령 블록 1개를 수정하시오

유의사항

지시사항에서 설명한 블록만 이용하시오.
그렇지 않은 경우 채점되지 않습니다.
지시사항 이외의 블록을 변경하였을 경우 "**다시풀기**" 버튼을 눌러서 초기화 후 문제를 푸시기 바랍니다.

기출유형파악하기10-연습02

[예제파일 : 기출유형파악하기10-연습02 문제.sb2]   [정답파일 : 기출유형파악하기10-연습02 정답.sb2]

YBM Coding Specialist

설명

탐지기를 통해 금속/ 비금속을 탐지하는 프로그램입니다

동작과정

1. 🚩 클릭하기
   → 금속탐지기를 마우스 드래그를 통해 이동할수 있습니다
   → 금속인 물체를 금속탐지기 위치로 드래그시키면 금속탐지기가 '금속을 탐지했습니다' 라고 말을 하고 '금속'신호 보내기 합니다.
   → 금속이 아닌 물체를 금속탐지기 위치로 드래그시키면 금속탐지기가 '금속이 아닙니다' 라고 말을 하고 '비금속'신호 보내기 합니다.
2. 프로그램 종료하기

코딩 스프라이트	금속탐지기

지시사항

▶ 🚩 클릭했을 때
1) **금속탐지기** 스프라이트에 금속 스프라이트가 닿으면 '**금속을 탐지했습니다.**'를 말하고 '**금속**' 신호 보내기 합니다. **금속탐지기** 스프라이트에 비금속 스프라이트에 닿으면 '**금속이 아닙니다.**'를 말하고 '**비금속**' 신호 보내기 할 수 있도록 **블록 2군데**를 수정하시오.

유의사항

지시사항에서 설명한 블록만 이용하시오.
그렇지 않은 경우 채점되지 않습니다.
지시사항 이외의 블록을 변경하였을 경우 "**다시풀기**" 버튼을 눌러서 초기화 후 문제를 푸시기 바랍니다.

기출유형파악하기10-연습03

[예제파일 : 기출유형파악하기10-연습03 문제.sb2]   [정답파일 : 기출유형파악하기10-연습03 정답.sb2]

 Coding Specialist

설명
누수탐지기를 통해 누수를 탐지하는 프로그램입니다.

동작과정
1. 🏳 클릭하면
   → 누수탐지기를 마우스 드래그를 통해 이동할수 있습니다.
   → 누수가 있는 위치로 드래그시키면 누수탐지기가 '누수인 부분을 탐지했습니다'라고 말합니다.
   → 누수가 아닌 위치로 드래그시키면 누수탐지기가 '누수가 아닙니다'라고 말합니다.
2. 프로그램 종료하기

코딩 스프라이트	누수탐지기

지시사항

▶ 🏳 클릭했을 때
1) 다음 지시사항을 순서대로 무한 반복하는 스크립트를 작성하시오.
   ① 만약 누수탐지기 스프라이트가 누수 스프라이트에 닿으면 **'누수인 부분을 탐지했습니다.'**를 **'2'**초 동안 말하시오.
   ② 만약 누수탐지기 스프라이트가 누수아님 스프라이트에 닿으면 **'누수가 아닙니다.'**를 **'2'**초 동안 말하게 하시오.

유의사항
지시사항에서 설명한 블록만 이용하시오.
그렇지 않은 경우 채점되지 않습니다.
지시사항 이외의 블록을 변경하였을 경우 **"다시풀기"** 버튼을 눌러서 초기화 후 문제를 푸시기 바랍니다.

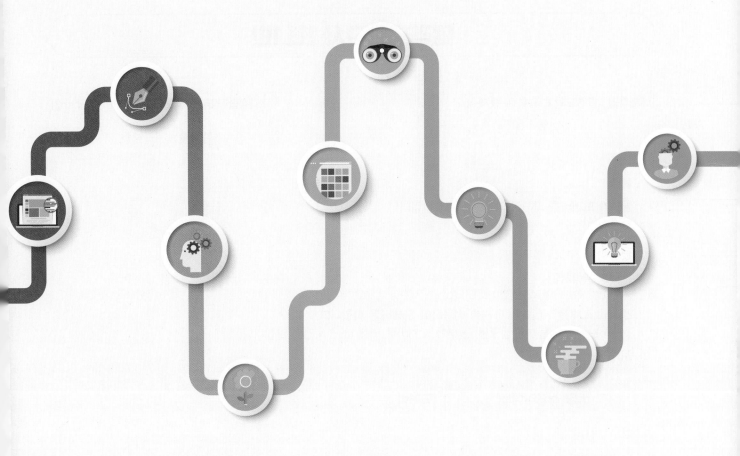

합격모의고사

합격모의고사 1회 1번

[예제파일 : 합격모의고사1회 01 문제.sb2]   [정답파일 : 합격모의고사1회 01 정답.sb2]

YBM Coding Specialist

설명
놀부가 도깨비를 피해 도망가는 프로그램입니다.

동작과정
1. 🚩 클릭하면
   → 도깨비가 놀부를 쫓아다닙니다.
2. 키보드 방향키(↑,↓,←,→)를 이용하여 도깨비를 피합니다.
   → 도깨비가 놀부를 잡으면, 놀부가 도깨비를 피해 다닌 시간을 말합니다.
3. 프로그램 종료하기

코딩 스프라이트	도깨비

지시사항

▶ **놀부잡기** 추가블록
도깨비 스프라이트가 놀부 스프라이트에 닿을 때까지 다음 지시사항을 순서대로 반복하는 스크립트를 작성하시오.
1) 놀부 스프라이트 쪽을 보시오.
2) '3'만큼 움직이시오.

▶ **종료** 메시지를 받았을 때
다음 지시사항을 순서대로 작성하시오.
1) 타이머를 '1'초 동안 말하시오
2) 스크립트를 모두 멈추시오.

유의사항
지시사항에서 설명한 블록만 이용하시오.
그렇지 않은 경우 채점되지 않습니다.
지시사항 이외의 블록을 변경하였을 경우 **"다시풀기"** 버튼을 눌러서 초기화 후 문제를 푸시기 바랍니다.

합격모의고사 1회 2번

[예제파일 : 합격모의고사1회 02 문제.sb2]   [정답파일 : 합격모의고사1회 02 정답.sb2]

YBM Coding Specialist

설명

축구장 출입증을 이용하여 건물 내부로 들어가는 프로그램입니다.

동작과정

1. 🏁 클릭하기
2. 인식영역 위로 축구장 출입증을 드래그 합니다.
   → 등록된 축구장 출입증일 경우 '등록된 출입증입니다.'를 말합니다.
   → 등록되지 않은 축구장 출입증일 경우 '등록된 출입증이 아닙니다.'를 말합니다.
   → 문이 열립니다.
3. 프로그램 종료하기

코딩 스프라이트	인식영역

지시사항

▶ **체크** 추가블록
1) 다음 지시사항을 순서대로 작성하시오.
   ① 등록출입증 스프라이트의 모양# 이 '**1**'이면 **출입증1** 추가블록을 실행하시오.
   ② 등록출입증 스프라이트의 모양# 이 '**2**'이면 **출입증2** 추가블록을 실행하시오.

유의사항

보기블록1 스프라이트에 주어진 블록만 이용하시오.
그렇지 않은 경우 채점되지 않습니다.
지시사항 이외의 블록을 변경하였을 경우 **"다시풀기"** 버튼을 눌러서 초기화 후 문제를 푸시기 바랍니다.

코딩 스프라이트	등록출입증

지시사항

▶🏁 *클릭했을 때*
1) 다음 지시사항을 순서대로 작성하시오.
   ① 스프라이트의 크기를 '**20**'%로 정하시오.
   ② 스프라이트를 '출입증'과 '**1**'부터 '**2**' 사이의 난수를 결합한 모양으로 바꾸시오.
   ③ 스프라이트를 좌표위치 x : '**-150**', y : '**-20**'으로 이동하시오.

유의사항

보기블록2 스프라이트에 주어진 블록만 이용하시오.
그렇지 않은 경우 채점되지 않습니다.
지시사항 이외의 블록을 변경하였을 경우 **"다시풀기"** 버튼을 눌러서 초기화 후 문제를 푸시기 바랍니다.

합격모의고사 1회 3번

[예제파일 : 합격모의고사1회 03 문제.sb2]   [정답파일 : 합격모의고사1회 03 정답.sb2]

YBM Coding Specialist

설명

원숭이가 크리스마스 선물로 받은 바나나를 먹는 프로그램입니다.

동작과정

1. 🚩 클릭하면
   → 무대에 원숭이와 바나나가 보입니다.
   → 원숭이가 바나나를 향해 걸어와 바나나를 먹습니다.
   → 바나나를 먹고 난 후 무대 밖으로 이동합니다.
2. 프로그램 종료하기

코딩 스프라이트	바나나

지시사항

▶ 🚩 *클릭했을 때*
다음 지시사항을 순서대로 실행하는 스크립트를 작성하시오.
1) 스프라이트의 모양을 바나나1 로 바꾸시오.
2) 스프라이트를 보이게 하시오.
3) 스프라이트의 크기를 '**70**'%로 정하시오.
4) 스프라이트를 좌표위치 x : '**–150**' 부터 '**220**'사이의 난수, y : '**–120**' 부터 '**160**'사이의 난수로 이동하시오.

유의사항

지시사항에서 설명한 블록만 이용하시오.
그렇지 않은 경우 채점되지 않습니다.
지시사항 이외의 블록을 변경하였을 경우 "**다시풀기**" 버튼을 눌러서 초기화 후 문제를 푸시기 바랍니다.

코딩 스프라이트	원숭이

지시사항

▶ **이동** 추가블럭
다음 지시사항을 순서대로 무한 반복하는 스크립트를 작성하시오.
1) 스프라이트를 '**10**'만큼 움직이시오.
2) 스프라이트를 다음 모양으로 바꾸시오.
3) 원숭이 스프라이트가 벽에 닿으면 스프라이트를 숨기시오.

유의사항

지시사항에서 설명한 블록만 이용하시오.
그렇지 않은 경우 채점되지 않습니다.
지시사항 이외의 블록을 변경하였을 경우 "**다시풀기**" 버튼을 눌러서 초기화 후 문제를 푸시기 바랍니다.

합격모의고사 1회 4번

[예제파일 : 합격모의고사1회 04 문제.sb2]   [정답파일 : 합격모의고사1회 04 정답.sb2]

YBM Coding Specialist

설명
자동차 평균속도를 계산하는 프로그램입니다.

동작과정
1. 🏳 클릭하면
    → 속도 리스트에 자동차 15대의 속도가 저장됩니다.
    → 속도 리스트의 평균을 계산하여 말합니다.
2. 프로그램 종료하기

변수설명

▶ N
  리스트의 항목을 세기 위해 사용하는 변수입니다.
▶ 평균
  리스트 값들의 평균을 계산하여 저장하는 변수입니다.
▶ 합
  리스트 값들의 합을 계산하여 저장하는 변수입니다.

코딩 스프라이트	고양이

지시사항

▶ 🏳 시작했을 때
1) 다음 지시사항을 순서대로 실행하는 스크립트를 작성하시오.
    ① 모든 항목을 속도 리스트에서 삭제하시오.
    ② **N** 변수를 '**1**'로 정하기 하시오.
    ③ **합** 변수를 '**0**'으로 정하기 하시오.
    ④ **평균** 변수를 '**0**'으로 정하기 하시오.
    ⑤ 다음 지시사항을 순서대로 '**15**'번 반복하는 스크립트를 작성하시오.
        → '**50**'부터 '**110**'사이의 난수 항목을 **속도** 리스트에 추가하시오.

유의사항

지시사항에서 설명한 블록만 이용하시오.
그렇지 않은 경우 채점되지 않습니다.
지시사항 이외의 블록을 변경하였을 경우 "**다시풀기**" 버튼을 눌러서 초기화 후 문제를 푸시기 바랍니다.

합격모의고사 1회 5번

[예제파일 : 합격모의고사1회 05 문제.sb2]   [정답파일 : 합격모의고사1회 05 정답.sb2]

YBM Coding Specialist

설명
네 자리의 자연수를 주어진 예시와 같이 값을 계산하는 프로그램입니다.

동작과정

1. 🚩 클릭하기
   → 주어진 예시의 수식을 이용하여 '1638'을 계산합니다.
   → 고양이가 계산 결과 '1'을 말합니다.
2. 프로그램 종료하기

〈예시〉

'1638' 입력
↓
(1x6-3)/8
↓
천장함수(0.375)
↓
'1' 말하기

변수설명

▶ 결과
　계산 결과를 저장하는 변수입니다.

코딩 스프라이트	고양이

지시사항

▶ **계산** 추가블록
1) 임의의 네 자리 자연수에 대하여 동작과정에 주어진 예시에 따라 값을 계산하여 결과 변수 값을 말하는 스크립트를 완성하시오.

〈참고〉

자연수	계산결과
7356	3
9342	12

유의사항

주어진 **결과** 변수, 기타 필요한 블록을 이용하여 결과를 말하도록 스크립트를 자유롭게 작성하시오. 그렇지 않은 경우 채점되지 않습니다.
지시사항 이외의 블록을 변경하였을 경우 **"다시풀기"** 버튼을 눌러서 초기화 후 문제를 푸시기 바랍니다.

합격모의고사 1회 6번

[예제파일 : 합격모의고사1회 06 문제.sb2]   [정답파일 : 합격모의고사1회 06 정답.sb2]

YBM Coding Specialist

설명

입력한 수의 약수를 모두 말하는 프로그램입니다.

동작과정

1. 🏳 클릭하면
   → 입력한 수의 약수를 '1'부터 차례대로 모두 말합니다.
2. 프로그램 종료하기

변수설명

▶ n
숫자를 세기 위해 사용되는 변수입니다.
▶ 나머지
나머지를 계산하여 저장하는 변수입니다.

코딩 스프라이트	고양이

지시사항

▶ **계산** 추가블록
1) 아래 순서도를 참고하여 입력한 수의 약수를 모두 말하도록 빈칸을 완성하시오.

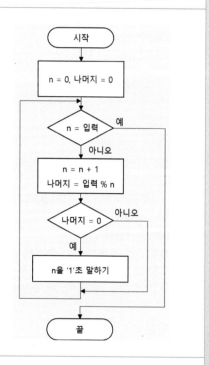

유의사항

지시사항에서 설명한 블록만 이용하시오.
그렇지 않은 경우 채점되지 않습니다.
지시사항 이외의 블록을 변경하였을 경우 **"다시풀기"** 버튼을 눌러서 초기화 후 문제를 푸시기 바랍니다.

합격모의고사 1회 7번

[예제파일 : 합격모의고사1회 07 문제.sb2]　　　　　　　　　　　[정답파일 : 합격모의고사1회 07 정답.sb2]

YBM Coding Specialist

설명

수영장에서 수영용품을 빌리는 프로그램입니다.

동작과정

1. 🚩 클릭하기
2. 빌릴 물건(수경 또는 수영복)을 입력합니다.
3. 대상(어른 또는 어린이)을 입력합니다
4. 프로그램 종료하기

변수설명

▶ 가격
　 총 가격을 저장하는 변수입니다.
▶ 대상
　 물건을 빌리는 대상을 저장하는 변수입니다.
▶ 대여품
　 빌릴 수영용품을 저장하는 변수입니다.

코딩 스프라이트	고양이

지시사항

▶ 🚩 클릭했을 때
1) 다음 지시사항을 순서대로 실행하는 스크립트를 작성하시오.
　 ① 가격 변수를 '**0**'으로 정하시오.
　 ② 대답이 '**아니오**' 까지 **빌리기** 추가블록을 반복하시오.

▶ 계산 추가블록
1) 만약 물건 매개변수 = '**수영복**' 이라면 다음 지시사항을 실행하는 스크립트를 작성하시오.
　 ① 만약 대상 매개변수가 '**어른**'이라면 가격을 '**10000**'만큼 바꾸시오.
　 ② 만약 대상 매개변수가 '**어린이**'이라면 가격을 '**5000**'만큼 바꾸시오.

유의사항

지시사항에서 설명한 블록만 이용하시오.
그렇지 않은 경우 채점되지 않습니다.
지시사항 이외의 블록을 변경하였을 경우 "**다시풀기**" 버튼을 눌러서 초기화 후 문제를 푸시기 바랍니다.

합격모의고사 1회 8번

[예제파일 : 합격모의고사1회 08 문제.sb2]   [정답파일 : 합격모의고사1회 08 정답.sb2]

YBM Coding Specialist

설명

쇠막대에 열을 가하는 프로그램입니다.

동작과정

1. 🏴 클릭하기
2. 쇠막대를 알코올램프 위로 이동합니다.
   → 쇠막대의 온도가 올라갑니다.
      ▶ 쇠막대의 온도가 '100'도를 넘으면 쇠막대의 길이가 길어집니다.
      ▶ 쇠막대의 온도는 '200'도를 넘지 않습니다.
3. 쇠막대를 알코올램프로부터 멀리 이동합니다.
   → 쇠막대의 온도가 내려갑니다.
      ▶ 쇠막대의 온도가 '100'도 아래로 내려가면 쇠막대의 길이가 원래의 길이로 줄어듭니다.
      ▶ 쇠막대의 온도는 '10'도 아래로 내려가지 않습니다.
4. 프로그램 종료하기

변수설명

▶ 온도
  현재 온도를 보여주기 위해 사용하는 변수입니다.

코딩 스프라이트	쇠막대

지시사항

▶ 🏴 *클릭했을 때*
1) 다음 지시사항을 순서대로 무한 반복하는 스크립트를 작성하시오.
   ① 마우스 포인터 위치로 이동하시오.
   ② 만약 알코올램프에 닿으면 **온도증가** 추가블록을 실행하시오.
   ③ 그렇지 않으면 **온도감소** 추가블록을 실행하시오.

▶ **온도증가** 추가블록
1) 만약 온도 변수가 '**100**'보다 크면 다음 지시사항을 순서대로 작성하시오.
   ① 모양을 '**쇠막대2**' 로 바꾸시오
   ② 만약 **온도** 변수가 '**199**'보다 크면 **온도** 변수를 '**200**'으로 정하시오.

유의사항

지시사항에서 설명한 블록만 이용하시오.
그렇지 않은 경우 채점되지 않습니다.
지시사항 이외의 블록을 변경하였을 경우 "**다시풀기**" 버튼을 눌러서 초기화 후 문제를 푸시기 바랍니다.

합격모의고사 1회 9번

[예제파일 : 합격모의고사1회 09 문제.sb2]   [정답파일 : 합격모의고사1회 09 정답.sb2]

YBM Coding Specialist

설명
추운 겨울에 보일러가 설정온도에 도달하면 보일러의 동작이 멈추는 프로그램입니다.

동작과정
1. ▶ 클릭하기
   → 온도가 1도씩 증가합니다.
   → 설정한 온도가 되면 보일러 동작이 멈춥니다.
2. 프로그램 종료하기

변수설명
▶ 설정온도
  보일러를 멈추게 할 온도를 설정하는 변수입니다.
▶ 현재온도
  현재 온도를 나타내기 위한 변수입니다.

코딩 스프라이트	보일러

지시사항

▶ ▶ 클릭했을 때
1) 현재온도 변수가 '**1**'씩 증가하도록 스크립트를 수정하시오.

▶ **제어** 추가블록
1) **Temp** 매개변수가 설정온도 변수보다 작으면 보일러 스프라이트의 모양이 **ON** 이 되고 그렇지 않으면 **OFF** 되도록 스크립트 **두 군데를** 수정하시오.

유의사항

지시사항에서 설명한 블록만 이용하시오.
그렇지 않은 경우 채점되지 않습니다.
지시사항 이외의 블록을 변경하였을 경우 "**다시풀기**" 버튼을 눌러서 초기화 후 문제를 푸시기 바랍니다.

합격모의고사 1회 10번

[예제파일 : 합격모의고사1회 10 문제.sb2]   [정답파일 : 합격모의고사1회 10 정답.sb2]

설명
누수탐지기로 수도관의 누수를 탐지하는 프로그램입니다.

동작과정
1. 🚩 클릭하기
   → 마우스를 이용하여 누수탐지기를 움직이며 누수 수도관을 탐지합니다.
   → 누수가 발생하는 수도관을 발견하면 '누수발견!!'을 말합니다.
   → 숨어 있던 수도관이 보입니다.
2. 프로그램 종료하기

코딩 스프라이트	누수탐지기

상황설명
▶ 현재 프로그램에서는 누수탐지기로 숨어있는 누수되는 수도관을 찾았을 때, 수도관이 보이지 않습니다.

지시사항
▶ 누수탐지기로 누수되는 수도관을 찾을 경우 수도관이 무대에 보이도록 명령 블록 한 곳을 수정하시오.

유의사항
지시사항에서 설명한 블록만 이용하시오.
그렇지 않은 경우 채점되지 않습니다.
지시사항 이외의 블록을 변경하였을 경우 **"다시풀기"** 버튼을 눌러서 초기화 후 문제를 푸시기 바랍니다.

합격모의고사 2회 1번

[예제파일 : 합격모의고사2회 01 문제.sb2]　　　　　　　　　　　　[정답파일 : 합격모의고사2회 01 정답.sb2]

YBM Coding Specialist

설명

자동차 렌트 프로그램입니다.

동작과정

1. ⚑ 클릭하기
2. 빌리고자 하는 자동차의 등급(소형차, 중형차, 대형차)을 입력합니다.
   → 대여비를 알려줍니다.
   → 키보드 화살표(↑,↓,→,←)키를 이용하여 자동차를 움직입니다.
   → 대여장소에 소형차, 중형차, 대형차가 도착하면 '안녕히 가세요.'를 말합니다.
3. 프로그램 종료하기

코딩 스프라이트	대형차

지시사항

▶ ⚑ 클릭했을 때
1) 다음 지시사항을 순서대로 실행하는 스크립트를 작성하시오.
   ① 스프라이트를 보이게 하시오.
   ② 스프라이트를 맨 앞 순서로 바꾸시오.
   ③ 스프라이트를 좌표위치 x: '-134' y: '81' 로 이동하시오.
   ④ 스프라이트가 '0'도 방향을 보도록 하시오.

유의사항

지시사항에서 설명한 블록만 이용하시오.
그렇지 않은 경우 채점되지 않습니다.
지시사항 이외의 블록을 변경하였을 경우 "**다시풀기**" 버튼을 눌러서 초기화 후 문제를 푸시기 바랍니다.

코딩 스프라이트	대여장소

지시사항

▶ ⚑ 클릭했을 때
1) 만약 **소형차** 또는 **중형차** 또는 **대형차**에 닿으면 다음 지시사항을 순서대로 실행하는 스크립트를 작성하시오.
   ① '**안녕히 가세요.**'를 '2'초 동안 말하시오.
   ② 렌트완료 메시지를 방송하시오.

유의사항

지시사항에서 설명한 블록만 이용하시오.
그렇지 않은 경우 채점되지 않습니다.
지시사항 이외의 블록을 변경하였을 경우 "**다시풀기**" 버튼을 눌러서 초기화 후 문제를 푸시기 바랍니다.

합격모의고사 2회 2번

[예제파일 : 합격모의고사2회 02 문제.sb2]　　　　　　　　　　[정답파일 : 합격모의고사2회 02 정답.sb2]

YBM Coding Specialist

설명
마트에서 물건 구입시 멤버십카드로 할인을 받는 프로그램입니다.

동작과정
1. 🚩 클릭하면
2. 카드인식기 이미지 위로 멤버십카드를 드래그하여 올립니다.
   → 등록 된 멤버십카드일 경우 "10% 할인대상입니다."를 말합니다.
   → 그렇지 않은 경우 "등록되지 않은 멤버십카드입니다."를 말합니다.
3. 프로그램 종료하기

코딩 스프라이트	등록카드

지시사항

▶ 🚩 클릭했을 때
다음 지시사항을 순서대로 실행하는 스크립트를 작성하시오.
1) 스프라이트의 크기를 '20'%로 정하시오.
2) 스프라이트의 모양을 '멤버십카드'와 '1'부터 '2'사이의 난수를 결합한 모양으로 바꾸시오.
3) 스프라이트를 좌표위치 x: '−150' y: '−20'으로 이동하시오.

유의사항

보기블록1 스프라이트에 주어진 블록만 이용하시오.
그렇지 않은 경우 채점되지 않습니다.
지시사항 이외의 블록을 변경하였을 경우 **"다시풀기"** 버튼을 눌러서 초기화 후 문제를 푸시기 바랍니다.

코딩 스프라이트	카드인식기

지시사항

▶ 체크 추가블록
다음 지시사항을 순서대로 실행하는 스크립트를 작성하시오.
1) 만일 등록카드의 모양#이 '1'이면 **블루멤버십** 추가 블록을 실행하시오.
2) 만약 등록카드의 모양#이 '2'이면 **옐로멤버십** 추가 블록을 실행하시오.

유의사항

보기블록2 스프라이트에 주어진 블록만 이용하시오.
그렇지 않은 경우 채점되지 않습니다.
지시사항 이외의 블록을 변경하였을 경우 **"다시풀기"** 버튼을 눌러서 초기화 후 문제를 푸시기 바랍니다.

합격모의고사 2회 3번

[예제파일 : 합격모의고사2회 03 문제.sb2]   [정답파일 : 합격모의고사2회 03 정답.sb2]

YBM Coding Specialist

설명

고양이가 생선을 먹는 프로그램입니다.

동작과정

1. ⚑ 클릭하면
   → 무대에 고양이와 생선이 보입니다.
   → 고양이가 생선을 향해 걸어와 생선을 먹습니다.
   → 생선을 먹고 난 후 무대 밖으로 이동합니다.
2. 프로그램 종료하기

코딩 스프라이트	고양이

지시사항

▶ **이동** 추가블록
다음 지시사항을 순서대로 무한반복 실행하는 스크립트를 작성하시오.
1) 스프라이트를 '**10**'만큼 움직이시오.
2) 만약 고양이 스프라이트가 벽에 닿으면 스프라이트를 숨기시오.

유의사항

지시사항에서 설명한 블록만 이용하시오.
그렇지 않은 경우 채점되지 않습니다.
지시사항 이외의 블록을 변경하였을 경우 "**다시풀기**" 버튼을 눌러서 초기화 후 문제를 푸시기 바랍니다.

코딩 스프라이트	생선

지시사항

▶⚑ *클릭했을 때*
다음 지시사항을 순서대로 실행하는 스크립트를 작성하시오.
1) 스프라이트를 보이게 하시오.
2) 스프라이트의 크기를 '**50**'%로 정하시오.
3) 스프라이트를 좌표위치 x: '**−150**'부터 '**150**'사이의 난수, y: '**−120**'부터 '**120**' 사이의 난수로 이동하시오.

유의사항

지시사항에서 설명한 블록만 이용하시오.
그렇지 않은 경우 채점되지 않습니다.
지시사항 이외의 블록을 변경하였을 경우 "**다시풀기**" 버튼을 눌러서 초기화 후 문제를 푸시기 바랍니다.

합격모의고사 2회 4번

[예제파일 : 합격모의고사2회 04 문제.sb2]   [정답파일 : 합격모의고사2회 04 정답.sb2]

설명
평균 강수량을 알려주는 프로그램입니다.

동작과정
1. 🚩 클릭하면
   → 강수량 리스트에 1일부터 15일까지의 강수량이 무작위로 저장됩니다.
   → 고양이가 강수량 리스트의 평균을 계산하여 말합니다.
2. 프로그램 종료하기

변수설명

▶ N
리스트에 저장된 값을 개수를 세기 위해 사용하는 변수입니다.
▶ 합
리스트에 저장된 값들의 합을 저장하는 변수입니다.
▶ 평균
리스트에 저장된 값들의 평균을 저장하는 변수입니다.

코딩 스프라이트	고양이

지시사항

▶ 계산 추가블록
다음 지시사항을 순서대로 실행하는 스크립트를 작성하시오.
1) N 변수가 강수량 리스트의 항목 수보다 클 때까지 다음 지시사항을 순서대로 반복하시오.
   ① 합 변수를 강수량 리스트의 N 번째 항목 만큼 바꾸시오.
   ② N 변수를 '1'만큼 바꾸시오.
2) 평균 변수는 합 변수를 강수량 리스트의 항목 수로 나눈 값으로 정하시오.

유의사항

보기블록 스프라이트에 주어진 블록만 이용하시오.
그렇지 않은 경우 채점되지 않습니다.
지시사항 이외의 블록을 변경하였을 경우 "다시풀기" 버튼을 눌러서 초기화 후 문제를 푸시기 바랍니다.

합격모의고사 2회 5번

[예제파일 : 합격모의고사2회 05 문제.sb2]
[정답파일 : 합격모의고사2회 05 정답.sb2]

YBM Coding Specialist

설명

네 자리의 자연수를 주어진 예시와 같이 값을 계산하는 프로그램입니다.

동작과정

1. ⚑ 클릭하기
   → 주어진 예시의 수식을 이용하여 '9342'를 계산합니다.
   → 고양이가 계산 결과 '126' 중 첫 번째 숫자 '1'을 말합니다.
2. 프로그램 종료하기

변수설명

▶ 결과
  계산 결과를 저장하는 변수입니다.

코딩 스프라이트	고양이

지시사항

▶ 계산 추가블록
1) 임의의 네 자리 자연수에 대하여 동작과정에 주어진 예시에 따라 값을 계산하여 결과 변수 값을 말하는 스크립트를 완성하시오.

〈예시〉

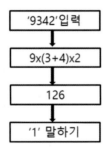

'9342'입력
↓
9x(3+4)x2
↓
126
↓
'1' 말하기

〈참고〉

자연수	계산결과
8754	3
1638	7

유의사항

지시사항에서 설명한 블록만 이용하시오.
그렇지 않은 경우 채점되지 않습니다.
지시사항 이외의 블록을 변경하였을 경우 "**다시풀기**" 버튼을 눌러서 초기화 후 문제를 푸시기 바랍니다.

합격모의고사 2회 6번

[예제파일 : 합격모의고사2회 06 문제.sb2]   [정답파일 : 합격모의고사2회 06 정답.sb2]

YBM Coding Specialist

설명
피보나치 수열의 세 번째 항부터 특정번째 항까지 말하는 프로그램입니다.

동작과정
1. 🚩 클릭하면
   → 마지막 번째 항을 입력합니다.   → 횟수 변 만큼 3번째 항부터 피보나치 수열을 말합니다.
   → 고양이가 계산 결과를 말합니다.
2. 프로그램 종료하기

변수설명
▶ A
  1번째 항부터 시작해서 C의 전전항을 가리키는 변수입니다.
▶ B
  2번째 항부터 시작해서 C의 전항을 가리키는 변수입니다.
▶ C
  3번째 항부터 시작해서 계속 다음 항을 가리키는 변수입니다.
▶ N
  항을 세기 위해 사용하는 변수입니다.

코딩 스프라이트	고양이

지시사항
▶ 계산 추가블록
1) 오른쪽 순서도를 참고하여 피보나치 수열의 세 번째 항부터
   특정 번째 항까지 말하도록 빈칸을 완성하시오.*

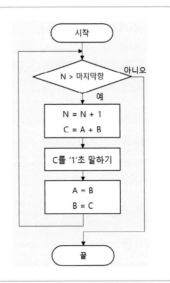

유의사항
지시사항에서 설명한 블록만 이용하시오.
그렇지 않은 경우 채점되지 않습니다.
지시사항 이외의 블록을 변경하였을 경우 **"다시풀기"** 버튼을 눌러서 초기화 후 문제를 푸시기 바랍니다.

합격모의고사 2회 7번

[예제파일 : 합격모의고사2회 07 문제.sb2]　　　　　　　　　　　[정답파일 : 합격모의고사2회 07 정답.sb2]

YBM Coding Specialist

설명
통신 요금을 계산해주는 프로그램입니다.

동작과정
1. 🚩 클릭하기
2. 영상통화 걸기, 받기 버튼이 있습니다.
　→ 마우스를 걸기 이미지 또는 받기 이미지를 클릭하면 통신 요금이 계산됩니다.
　→ 마우스 커서가 걸기 이미지 또는 받기 이미지를 벗어나면 사용한 통신 요금을 말합니다.
3. 프로그램 종료하기

변수설명

▶ 요금
통신 요금을 저장하는 변수입니다.
요금은 바닥함수(타이머 * 1.8)로 계산합니다.

코딩 스프라이트	걸기

지시사항

▶ 이 스프라이트를 클릭했을 때
다음 지시사항을 순서대로 실행하는 스크립트를 작성하시오.
1) 마우스 포인터에 닿지 않을 때까지 **요금** 변수를 타이머로 정하기를 반복하시오.
2) **요금** 변수를 **바닥함수(요금** * '1.8')으로 정하시오.
3) 계산완료 메시지를 방송하시오.

유의사항

보기블록1 스프라이트에 주어진 블록만 이용하시오.
그렇지 않은 경우 채점되지 않습니다.
지시사항 이외의 블록을 변경하였을 경우 **"다시풀기"** 버튼을 눌러서 초기화 후 문제를 푸시기 바랍니다.

코딩 스프라이트	받기

지시사항

▶ 이 스프라이트를 클릭했을 때
다음 지시사항을 순서대로 실행하는 스크립트를 작성하시오.
1) 마우스 포인터에 닿지 않을 때까지 **요금** 변수를 타이머로 정하기를 반복하시오.
2) **요금** 변수를 **바닥함수(요금** * '1.8')으로 정하시오.
3) 계산완료 메시지를 방송하시오.

유의사항

보기블록2 스프라이트에 주어진 블록만 이용하시오.

그렇지 않은 경우 채점되지 않습니다.

지시사항 이외의 블록을 변경하였을 경우 **"다시풀기"** 버튼을 눌러서 초기화 후 문제를 푸시기 바랍니다.

MEMO

합격모의고사 2회 8번

[예제파일 : 합격모의고사2회 08 문제.sb2]   [정답파일 : 합격모의고사2회 08 정답.sb2]

YBM Coding Specialist

설명
원소별 불꽃색을 알아보는 프로그램입니다.

동작과정
1. 🏁 클릭하기
2. 유리막대에 시료를 찍어 알코올 램프에 가져다 댑니다.
    → 빨간색 불꽃이 나타나면 알코올램프가 '리튬입니다.'라고 말합니다.
    → 황록색 불꽃이 나타나면 알코올램프가 '바륨입니다.'라고 말합니다.
    → 청록색 불꽃이 나타나면 알코올램프가 '구리입니다.'라고 말합니다.
3. 프로그램 종료하기

변수설명

▶ 원소종류
  원소종류를 구분하기 위해 사용하는 변수입니다.

코딩 스프라이트	유리막대

지시사항

▶ **시료묻히기** 추가블록
만약 마우스를 클릭했고 유리막대 스프라이트가 페트리접시 스프라이트에 닿으면 다음 지시사항을 순서대로
실행하는 스크립트를 작성하시오.
1) y좌표를 '−10'만큼 바꾸시오.
2) 모양을 유리막대2 로 바꾸시오.
3) 묻히기 메시지를 방송하시오.

유의사항

지시사항에서 설명한 블록만 이용하시오.
그렇지 않은 경우 채점되지 않습니다.
지시사항 이외의 블록을 변경하였을 경우 "**다시풀기**" 버튼을 눌러서 초기화 후 문제를 푸시기 바랍니다.

코딩 스프라이트	알코올램프

지시사항

▶ 묻히기 메시지를 받았을 때
다음 지시사항을 무한반복하는 스크립트를 작성하시오.
1) 만약 유리막대 스프라이트에 닿으면 **분석** 추가블록을 실행하시오.

유의사항

지시사항에서 설명한 블록만 이용하시오.

그렇지 않은 경우 채점되지 않습니다.

지시사항 이외의 블록을 변경하였을 경우 "**다시풀기**" 버튼을 눌러서 초기화 후 문제를 푸시기 바랍니다.

MEMO

합격모의고사 2회 9번

[예제파일 : 합격모의고사2회 09 문제.sb2]　　　　　　　　　　[정답파일 : 합격모의고사2회 09 정답.sb2]

YBM Coding Specialist

설명
원화를 캐나다 달러로 환전하는 프로그램입니다.

동작과정
1. ▶ 클릭하기
2. 환전할 원화를 입력합니다.
   → 환전 할 원화가 100,000원을 초과하면, 입력한 원화에 대해 최대 환전 가능 캐나다 달러, 환전 수수료, 거스름돈을 계산하여 순서대로 말합니다.
   → 그렇지 않으면 최대 환전 가능 캐나다 달러와 거스름돈을 계산하여 순서대로 말합니다.
3. 프로그램 종료하기

변수설명

▶ 거스름돈
　거스름돈을 저장하는 변수입니다.
▶ 수수료
　수수료를 저장하는 변수입니다.
▶ 캐나다 달러
　환전된 캐나다 달러를 저장하는 변수입니다.
▶ 원화
　환전할 원화를 저장하는 변수입니다.
▶ 환율
　환율을 저장하는 변수입니다.
▶ 환전가능금액
　수수료를 제외한 환전 가능한 금액을 저장하는 변수입니다.

코딩 스프라이트	은행원

지시사항

▶ 오류가 있는 스크립트
1) 환전 할 원화가 '**100000**'원을 초과하면 수수료를 계산하도록 스크립트를 수정하시오.

▶ **계산** 추가블록
1) **캐나다 달러** 변수에 환전가능금액 변수를 환율로 나눈 값에 대해 버림 한 값으로 정하시오.

유의사항
지시사항에서 설명한 블록만 이용하시오.
그렇지 않은 경우 채점되지 않습니다.
지시사항 이외의 블록을 변경하였을 경우 "**다시풀기**" 버튼을 눌러서 초기화 후 문제를 푸시기 바랍니다.

합격모의고사 2회 10번

[예제파일 : 합격모의고사2회 10 문제.sb2]   [정답파일 : 합격모의고사2회 10 정답.sb2]

설명
음파탐지기로 암석을 탐지하는 프로그램입니다.

동작과정

1. 🏳 클릭하면
   → 마우스를 이용하여 음파탐지기를 움직이며 암석을 탐지합니다.
   → 암석을 탐지하면 '암석 탐지!!'를 말합니다.
   → 숨어있던 암석을 보입니다.
2. 프로그램 종료하기

코딩 스프라이트	음파탐지기

상황설명
▶ 현재 프로그램에서는 음파탐지기로 숨어있던 암석을 찾았을 때, 암석이 보이지 않습니다.

지시사항
▶ 음파탐지기로 암석을 찾을 경우 암석이 무대에 보이도록 명령블록 한 곳을 수정하시오.

유의사항
지시사항에서 설명한 블록만 이용하시오.
그렇지 않은 경우 채점되지 않습니다.
지시사항 이외의 블록을 변경하였을 경우 **"다시풀기"** 버튼을 눌러서 초기화 후 문제를 푸시기 바랍니다.

합격모의고사 3회 1번

[예제파일 : 합격모의고사3회 01 문제.sb2]   [정답파일 : 합격모의고사3회 01 정답.sb2]

YBM Coding Specialist

설명

물풍선을 쏘아 바구니에 넣는 프로그램입니다.

동작과정

1. 🚩 클릭하기
2. 물대포가 좌우로 움직입니다.
3. 스페이스 키를 누르면 물풍선을 던집니다.
    → 물풍선이 바구니에 닿으면 바구니에 물풍선이 담깁니다.
    → 그렇지 않으면 물풍선이 터집니다.
    → 왼쪽, 오른쪽 화살표를 이용하여 대포를 움직일 수 있습니다.
    → 스페이스 키를 누르면 무대가 바뀝니다.
4. 프로그램 종료하기

코딩 스프라이트	물풍선

지시사항

▶ 스페이스 키를 눌렀을 때
1) 다음 지시사항을 순서대로 무한 반복하는 스크립트를 작성하시오.
    ① 만약 바구니에 닿았는가? (이)라면 스프라이트를 숨기기하고, 성공 방송하기 하시오.

유의사항

지시사항에서 설명한 블록만 이용하시오.
그렇지 않은 경우 채점되지 않습니다.
지시사항 이외의 블록을 변경하였을 경우 **"다시풀기"** 버튼을 눌러서 초기화 후 문제를 푸시기 바랍니다.

코딩 스프라이트	물대포

지시사항

▶ 🚩 클릭했을 때
1) 다음 지시사항을 무한 반복하는 스크립트를 작성하시오.
    ① '10' 만큼 움직이게 하시오.
    ② 스프라이트가 벽에 닿으면 팅기게 하시오.

유의사항

지시사항에서 설명한 블록만 이용하시오.
그렇지 않은 경우 채점되지 않습니다.
지시사항 이외의 블록을 변경하였을 경우 **"다시풀기"** 버튼을 눌러서 초기화 후 문제를 푸시기 바랍니다.

합격모의고사 3회 2번

[예제파일 : 합격모의고사3회 02 문제.sb2]   [정답파일 : 합격모의고사3회 02 정답.sb2]

YBM Coding Specialist

설명
영화관에서 멤버십카드로 할인을 받는 프로그램입니다.

동작과정
1. 🚩 클릭하기
2. 카드인식기 이미지 위로 멤버십카드를 드래그하여 올립니다.
   → 등록 된 멤버십카드일 경우 "10% 할인대상입니다."를 말합니다.
   → 그렇지 않은 경우 "등록되지 않은 멤버십카드입니다."를 말합니다.
3. 프로그램 종료하기

코딩 스프라이트	멤버십카드2

지시사항

▶ 🚩 클릭했을 때
다음 지시사항을 순서대로 실행하는 스크립트를 작성하시오
1) 멤버십카드2 스프라이트의 크기를 '**40%**'로 정하시오.
2) 멤버십카드2 스프라이트를 좌표위치 X:'**96**' Y: '**-101**'로 이동하시오.

유의사항

지시사항에서 설명한 블록만 이용하시오.
그렇지 않은 경우 채점되지 않습니다.
지시사항 이외의 블록을 변경하였을 경우 "**다시풀기**" 버튼을 눌러서 초기화 후 문제를 푸시기 바랍니다.

코딩 스프라이트	카드인식기

지시사항

▶ 블루멤버십 추가블록
다음 지시사항을 순서대로 실행하는 스크립트를 작성하시오.
1) 멤버십카드1에 닿았다면 "**10% 할인대상입니다.**"를 말합니다.
2) 멤버십카드1에 닿지 않았다면 "**등록되지 않은 멤버십카드입니다.**"를 말합니다.

유의사항

지시사항에서 설명한 블록만 이용하시오.
그렇지 않은 경우 채점되지 않습니다.
지시사항 이외의 블록을 변경하였을 경우 "**다시풀기**" 버튼을 눌러서 초기화 후 문제를 푸시기 바랍니다.

합격모의고사 3회 3번

[예제파일 : 합격모의고사3회 03 문제.sb2]   [정답파일 : 합격모의고사3회 03 정답.sb2]

YBM Coding Specialist

설명

갈매기가 새우깡을 먹는 프로그램입니다.

동작과정

1. ▶ 클릭하면
   → 갈매기와 새우깡이 보입니다.
   → 갈매기가 새우깡을 향해 날아와 먹습니다.
   → 새우깡을 먹고난 후 무대 밖으로 이동합니다.
2. 프로그램 종료하기

코딩 스프라이트	갈매기

지시사항

▶ ▶ 클릭했을 때
다음 지시사항을 순서대로 무한 반복하는 스크립트를 작성하시오.
1) 만약 새우깡에 닿았는가? (이)라면 순서대로 실행하는 스크립트를 완성하시오.
   ① '1'초 기다리기 하시오.
   ② 먹음 방송하기 하시오.
   ③ '90'도 방향 보기 하시오.
   ④ **이동** 추가블록을 실행 하시오.

▶ 이동 추가블록
다음 지시사항을 순서대로 무한 반복하는 스크립트를 작성 하시오.
1) '10'만큼 움직이기 하시오.
2) 다음 모양으로 바꾸기 하시오.
3) '0.1'초 기다리기 하시오.
4) 만약 벽 에 닿았는가?(이)라면 스프라이트를 숨기기 하시오.

유의사항

지시사항에서 설명한 블록만 이용하시오.
그렇지 않은 경우 채점되지 않습니다.
지시사항 이외의 블록을 변경하였을 경우 **"다시풀기"** 버튼을 눌러서 초기화 후 문제를 푸시기 바랍니다.

합격모의고사 3회 4번

[예제파일 : 합격모의고사3회 04 문제.sb2]   [정답파일 : 합격모의고사3회 04 정답.sb2]

YBM Coding Specialist

설명
박물관 입장료를 계산하는 프로그램입니다.

동작과정
1. 🚩 클릭하면
   → 박물관 입장 구분을 묻습니다.
   → 박물관 입장하는 인원을 묻습니다.
2. 고양이가 박물관 입장료 총 금액을 말합니다.
3. 프로그램 종료하기

변수설명

▶ 선택
  선택한 구분을 입력받아 저장하는 변수입니다.
▶ 인원
  인원을 입력받아 저장하는 변수입니다.
▶ 총금액
  선택과 인원의 총 금액을 계산하여 저장하는 변수입니다.

코딩 스프라이트	고양이

지시사항

▶ **입장료** 추가블록
1) 만약 선택이 **어른**이면 **총금액** 변수를 **가격** 리스트의 '**1**'번째 항목 x **인원** 변수로 정하시오.
2) 만약 선택이 **청소년** 및 **군인**이면 **총금액** 변수를 **가격** 리스트의 '**2**'번째 항목 x **인원** 변수로 정하시오.
3) 만약 선택이 **어린이** 및 **노인** 이면 **총금액** 변수를 **가격** 리스트의 '**3**'번째 항목 x **인원** 변수로 정하시오.

유의사항

지시사항에서 설명한 블록만 이용하시오.
그렇지 않은 경우 채점되지 않습니다.
지시사항 이외의 블록을 변경하였을 경우 "**다시풀기**" 버튼을 눌러서 초기화 후 문제를 푸시기 바랍니다.

합격모의고사 3회 5번

[예제파일 : 합격모의고사3회 05 문제.sb2]   [정답파일 : 합격모의고사3회 05 정답.sb2]

YBM Coding Specialist

설명
네 자리의 자연수를 주어진 예시와 같이 값을 계산하는 프로그램입니다.

동작과정
1. 🏁 클릭하기
   → 주어진 예시의 수식을 이용하여 '4219'를 계산합니다.
   → 고양이가 계산 결과 108 중 두 번째 숫자인 '0'을 말합니다.
2. 프로그램 종료하기

변수설명

▶ 결과
   계산 결과를 저장하는 변수입니다.

코딩 스프라이트	고양이

지시사항

▶ **계산** 추가블록
1) 임의 네 자리수 자연수에 대해 주어진 예시에 따라 값을 계산하여 결과 변수 값을 말하도록 스크립트를 완성하시오.

※ 예시

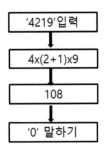

```
'4219'입력
  ↓
4x(2+1)x9
  ↓
108
  ↓
'0' 말하기
```

※ 참고

자연수	계산결과
4698	8
2378	6

유의사항

주어진 **결과** 변수, 기타 필요한 블록을 이용하여 결과를 말하도록 스크립트를 자유롭게 작성하시오. 그렇지 않은 경우 채점되지 않습니다.
지시사항 이외의 블록을 변경하였을 경우 **"다시풀기"** 버튼을 눌러서 초기화 후 문제를 푸시기 바랍니다.

합격모의고사 3회 6번

[예제파일 : 합격모의고사3회 06 문제.sb2]   [정답파일 : 합격모의고사3회 06 정답.sb2]

YBM Coding Specialist

설명

1부터 100까지의 숫자들 중에 3의 배수인 숫자들을 찾아 그 수들의 합을 계산하는 프로그램입니다.

동작과정

1. 🏳 클릭하기
   → 1부터 100까지의 숫자들 중에서 3의 배수를 찾습니다.
   → 3의 배수인 수들의 합을 계산합니다.
   → 고양이가 계산 결과를 말합니다.
2. 프로그램 종료하기

변수설명

▶ k
1부터 100까지 반복하기 위해 사용하는 변수입니다.
▶ 합
3의 배수들의 합을 계산하여 저장하는 변수입니다.

코딩 스프라이트	고양이

지시사항

▶ 계산 메시지를 받았을 때
오른쪽 순서도를 참고하여 1부터 100까지의 숫자들 중에서
3의 배수인 합을 계산하는 스크립트를 완성하시오.

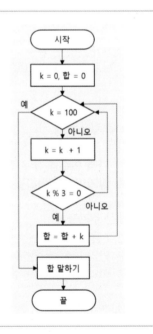

유의사항

지시사항에서 설명한 블록만 이용하시오.
그렇지 않은 경우 채점되지 않습니다.
지시사항 이외의 블록을 변경하였을 경우 **"다시풀기"** 버튼을 눌러서 초기화 후 문제를 푸시기 바랍니다.

합격모의고사 3회 7번

[예제파일 : 합격모의고사3회 07 문제.sb2]   [정답파일 : 합격모의고사3회 07 정답.sb2]

YBM Coding Specialist

설명
축구장에서 축구용품 대여하는 프로그램입니다.

동작과정
1. ▶ 클릭하면
2. 축구화, 축구복중 빌릴 물건이 있으면 입력합니다.
   → 축구화을 입력하면 '어린이' 또는 '어른'를 말합니다.
3. 고양이가 대여료를 계산하여 말합니다.
4. 프로그램 종료하기

변수설명

▶ 가격
   총 가격을 저장하는 변수입니다.
▶ 대상
   물건을 빌리는 대상을 저장하는 변수입니다.
▶ 대여품
   빌릴 축구용품을 저장하는 변수입니다.

코딩 스프라이트	고양이

지시사항

▶ ▶ 클릭했을 때
1) 다음 지시사항을 순서대로 실행하는 스크립트를 작성하시오.
   ① **가격** 변수를 '**0**'로 정하시오.
   ② **빌리기** 추가블록을 실행하시오.

▶ 계산 추가블록
1) 만약 물건 매개변수 = '**축구화**' (이)라면 다음 지시사항을 실행하는 스크립트를 작성하시오.
   ① 만약 대상 매개변수가 어린이 (이)라면 가격 변수를 '**3000**'만큼 바꾸시오.
   ② 만약 대상 매개변수가 어른 (이)라면 가격 변수를 '**5000**'만큼 바꾸시오.

유의사항

지시사항에서 설명한 블록만 이용하시오.
그렇지 않은 경우 채점되지 않습니다.
지시사항 이외의 블록을 변경하였을 경우 "**다시풀기**" 버튼을 눌러서 초기화 후 문제를 푸시기 바랍니다.

합격모의고사 3회 8번

[예제파일 : 합격모의고사3회 08 문제.sb2]   [정답파일 : 합격모의고사3회 08 정답.sb2]

설명
가위바위보 프로그램입니다.

동작과정
1. 클릭하기
2. 키보드 1(주먹), 2(가위), 3(보) 키로 주먹, 가위, 보를 결정합니다.
   → 승부결과를 고양이가 말해줍니다.
   → 비겼으면 다시 주먹, 가위, 보를 합니다.
3. 프로그램 종료하기

변수설명

▶ 사용자
   사용자가 선택한 경우를 저장하는 변수입니다.
▶ 컴퓨터
   컴퓨터가 선택한 경우를 저장하는 변수입니다.

코딩 스프라이트	고양이

지시사항

▶ **판단** 메시지를 받았을 때
1) 만약 사용자 변수가 '1'이라면 다음 지시사항을 실행하는 스크립트를 완성하시오.
   ① 만약 컴퓨터 변수가 '**1**'이라면 "**비겼다**"를 말하시오.
   ② 만약 컴퓨터 변수가 '**2**'이라면 "**이겼다**"를 말하시오.
   ③ 만약 컴퓨터 변수가 '**3**'이라면 "**졌다**"를 말하시오.

유의사항

지시사항에서 설명한 블록만 이용하시오.
그렇지 않은 경우 채점되지 않습니다.
지시사항 이외의 블록을 변경하였을 경우 "**다시풀기**" 버튼을 눌러서 초기화 후 문제를 푸시기 바랍니다.

코딩 스프라이트	사용자

지시사항

▶ **가위바위보** 추가블록
1) 다음 지시사항을 순서대로 실행하는 스크립트를 작성하시오.
   ① 만약 컴퓨터 변수와 사용자 변수가 같지 않을 때까지 **고르기** 추가블록을 실행하시오.

유의사항

지시사항에서 설명한 블록만 이용하시오.

그렇지 않은 경우 채점되지 않습니다.

지시사항 이외의 블록을 변경하였을 경우 **"다시풀기"** 버튼을 눌러서 초기화 후 문제를 푸시기 바랍니다.

MEMO

합격모의고사 3회 9번

[예제파일 : 합격모의고사3회 09 문제.sb2]   [정답파일 : 합격모의고사3회 09 정답.sb2]

YBM Coding Specialist

설명
스킨스쿠버 상어에게 먹이를 주는 프로그램입니다.

동작과정
1. 🚩 클릭하면
2. 스킨스쿠버가 일정거리에서 상어에게 물고기를 던져 줍니다.
3. 상어가 먹이를 먹으면 '배불러' 말하여 동작을 멈춥니다.
4. 프로그램 종료하기

코딩 스프라이트	스킨스쿠버

지시사항

▶ 🚩 클릭했을 때
스킨스쿠버 모양을 바뀌며 움직이도록 명령블록 1개를 삭제하고 추가하시오.

▶ 스페이스 키를 눌렀을 때
상어 까지의 거리가 '130'보다 작으면 먹이를 주도록 스크립트를 수정하시오.

유의사항
지시사항에서 설명한 블록만 이용하시오.
그렇지 않은 경우 채점되지 않습니다.
지시사항 이외의 블록을 변경하였을 경우 **"다시풀기"** 버튼을 눌러서 초기화 후 문제를 푸시기 바랍니다.

합격모의고사 3회 10번

[예제파일 : 합격모의고사3회 10 문제.sb2]   [정답파일 : 합격모의고사3회 10 정답.sb2]

YBM Coding Specialist

설명
어군탐지기로 물고기를 탐지하는 프로그램입니다.

동작과정

1. 🏴 클릭하기
   → 마우스를 이용하여 어군탐지기를 움직이며 물고기를 탐지합니다.
   → 물고기가 발견되면 '물고기 발견!!'을 말합니다.
   → 숨어 있던 물고기가 보입니다.
2. 프로그램 종료하기

코딩 스프라이트	어군탐지기

상황설명

▶ 현재 프로그램에서는 어군탐지기로 숨어있는 물고기를 찾았을 때, 물고기가 보이지 않습니다.

지시사항

▶ 어군탐지기로 물고기를 찾을 경우 물고기가 무대에 보이도록 명령블록 한 곳을 수정하여 블록을 완성하시오.

유의사항

지시사항에서 설명한 블록만 이용하시오.
그렇지 않은 경우 채점되지 않습니다.
지시사항 이외의 블록을 변경하였을 경우 **"다시풀기"** 버튼을 눌러서 초기화 후 문제를 푸시기 바랍니다.

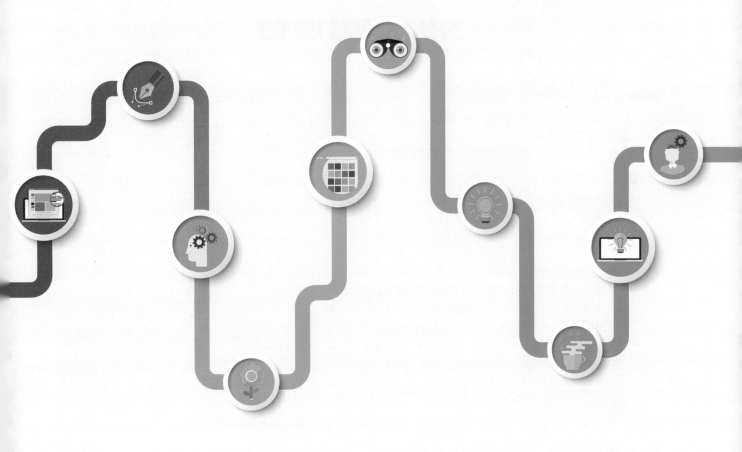

최신기출문제

최신기출문제 1회 1번

[예제파일 : 최신기출문제1회 01 문제.sb2]   [정답파일 : 최신기출문제1회 01 정답.sb2]

YBM Coding Specialist

설명
마녀가 유령을 피하는 프로그램입니다.

동작과정

1. ⚑ 클릭하기
   → 마우스를 움직이면 포인터를 따라 마녀가 움직입니다.
   → 유령이 나타나 마녀를 쫓습니다.
   → 마녀가 유령에 닿으면, 마녀가 사라집니다.
   → 유령은 웃는 표정으로 바뀌고, 마녀를 잡기까지 걸린 시간을 말합니다.
2. 프로그램 종료하기

변수설명

▶ 시간
   유령이 마녀를 잡을 때까지의 시간을 저장하는 변수입니다.

코딩 스프라이트	유령

지시사항

▶ ⚑ 클릭했을 때
1) **마녀** 스프라이트에 닿을 때까지 마녀쪽을 보고, '**0.5**'초 동안 x: **마녀의 x좌표**, y: **마녀의 y좌표**로 움직이시오.

▶ '**잡힘**' 메시지를 받았을 때
1) 모양을 '**유령2**'로 바꾸시오.
2) **시간**을 말하시오.
3) 스프라이트에 있는 다른 스크립트는 멈추기 하시오.

유의사항

지시사항에서 설명한 블록만 이용하시오.
그렇지 않은 경우 채점되지 않습니다.
지시사항 이외의 블록을 변경하였을 경우 "**다시풀기**" 버튼을 눌러서 초기화 후 문제를 푸시기 바랍니다.

최신기출문제 1회 2번

[예제파일 : 최신기출문제1회 02 문제.sb2]   [정답파일 : 최신기출문제1회 02 정답.sb2]

YBM Coding Specialist

설명
상자를 클릭하면 선물을 보여주는 프로그램입니다.

동작과정
1. 🚩 클릭하면
→ 무대에 1개의 상자가 놓입니다.
▶ 상자에는 '머플러', '기타', '신발' 세 가지 선물 중 한 가지가 무작위로 들어 있습니다.
→ 상자를 클릭하면 선물을 보여줍니다.
2. 프로그램 종료하기

변수설명

▶ 난수
선물이 임의의 상자에 위치하도록 하기 위한 변수입니다.

코딩 스프라이트	상자

지시사항

▶ 이 스프라이트를 클릭했을 때
1) **'클릭'** 메시지를 방송하고 숨기시오.

유의사항

지시사항에서 설명한 블록만 이용하시오.
그렇지 않은 경우 채점되지 않습니다.
지시사항 이외의 블록을 변경하였을 경우 **"다시풀기"** 버튼을 눌러서 초기화 후 문제를 푸시기 바랍니다.

코딩 스프라이트	선물

지시사항

▶ **'클릭'** 메시지를 받았을 때
1) **선물** 스프라이트를 보이게 하시오.

유의사항

지시사항에서 설명한 블록만 이용하시오.
그렇지 않은 경우 채점되지 않습니다.
지시사항 이외의 블록을 변경하였을 경우 **"다시풀기"** 버튼을 눌러서 초기화 후 문제를 푸시기 바랍니다.

최신기출문제 1회 3번

[예제파일 : 최신기출문제1회 03 문제.sb2]   [정답파일 : 최신기출문제1회 03 정답.sb2]

YBM Coding Specialist

설명
움직이는 야구공을 잡는 프로그램입니다.

동작과정
1. 🏳 클릭하면
    → 꽃게가 야구공을 임의의 위치로 던집니다.
    → 야구공을 잡기 위해 방향키(←,→)를 이용하여 고양이를 좌우로 움직입니다.
    → 스페이스 키를 누르면 고양이 손이 파란색으로 바뀝니다.
    → 파란 고양이 손에 야구공이 닿으면 점수가 100점 증가하고, 그렇지 않으면 점수가 증가하지 않습니다.
2. 프로그램 종료하기

변수설명

▶ 점수
   점수를 저장하는 변수입니다.

코딩 스프라이트	야구공

지시사항

▶ 🏳 클릭했을 때
1) **파란색**에 닿으면, 다음 내용을 순서대로 작성하시오.
    ① **'snap'** 소리를 재생하시오
    ② **야구공** 스프라이트를 숨기시오.
    ③ **점수** 변수를 **'100'** 만큼 증가시키시오.
    ④ **'1'**초 기다리시오

▶ **'던짐' 메시지를 받았을때**
1) **야구공** 스프라이트의 x좌표가 **'-200'**부터 **'200'** 사이의 난수 위치를 향해 **'3'**초 동안 움직이도록 하시오.

유의사항

보기블록 스프라이트에 주어진 블록만 이용하시오.
그렇지 않은 경우 채점되지 않습니다.
지시사항 이외의 블록을 변경하였을 경우 **"다시풀기"** 버튼을 눌러서 초기화 후 문제를 푸시기 바랍니다.

최신기출문제 1회 4번

[예제파일 : 최신기출문제1회 04 문제.sb2]   [정답파일 : 최신기출문제1회 04 정답.sb2]

YBM Coding Specialist

설명
기계 속의 공을 무작위로 뽑는 프로그램입니다.

동작과정

1. ▶ 클릭하면
   → 기계 안의 공들이 움직입니다.
   → 3초 후에 기계에서 숫자가 적힌 공 한 개가 무작위로 나옵니다.
   → 나온 공의 숫자를 말합니다.
2. 프로그램 종료하기

변수설명

▶ 숫자
공의 숫자를 저장하는 변수입니다.

코딩 스프라이트	공

지시사항

▶ ▶ 클릭했을 때
1) 숫자가 적힌 공이 무작위로 나오도록 다음 내용을 참고하여 스크립트를 완성하시오.
   ① **숫자** 변수를 '**1**'부터 '**4**'사이의 난수로 정하시오.
   ② **공** 스프라이트를 '**공**'과 │ 변수를 결합한 모양으로 바꾸시오.

유의사항

지시사항에서 설명한 블록만 이용하시오.
그렇지 않은 경우 채점되지 않습니다.
지시사항 이외의 블록을 변경하였을 경우 "**다시풀기**" 버튼을 눌러서 초기화 후 문제를 푸시기 바랍니다.

최신기출문제 1회 5번

[예제파일 : 최신기출문제1회 05 문제.sb2]   [정답파일 : 최신기출문제1회 05 정답.sb2]

YBM Coding Specialist

설명
주어진 리스트에서 짝수의 개수를 계산하는 프로그램입니다.

동작과정
1. 🚩 클릭하면
   → 고양이가 리스트의 값들을 비교하여 짝수인지 판단합니다.
   → 짝수이면 개수를 '1'증가시킵니다.   → 고양이가 짝수의 개수를 말합니다.
2. 프로그램 종료하기

변수설명
▶ I
  반복문에 사용 되는 변수입니다.
▶ 개수
  짝수의 개수가 저장되는 변수입니다.

코딩 스프라이트	고양이

지시사항

▶ 🚩 *클릭했을 때*
1) 다음 순서도를 참고하여 주어진 리스트에서 짝수의 개수를 계산하는 스크립트를 완성하시오.

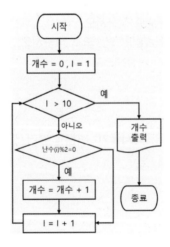

유의사항

보기블록 스프라이트에 주어진 블록만 이용하시오.
그렇지 않은 경우 채점되지 않습니다.
지시사항 이외의 블록을 변경하였을 경우 **"다시풀기"** 버튼을 눌러서 초기화 후 문제를 푸시기 바랍니다.

최신기출문제 1회 6번

[예제파일 : 최신기출문제1회 06 문제.sb2]   [정답파일 : 최신기출문제1회 06 정답.sb2]

YBM Coding Specialist

설명
뜨거운 음료를 식히는 프로그램입니다.

동작과정
1. 🏳 클릭하면
   → 100도의 뜨거운 음료가 있습니다.
   → 얼음을 클릭하면 뜨거운 음료에 얼음이 들어갑니다.
   ▶ 얼음이 다시 만들어지고, 크기가 점점 작아집니다.
   → 얼음의 크기에 따라 뜨거운 음료의 온도가 다르게 떨어집니다.
   → 위의 과정을 반복하여 뜨거운 음료의 온도가 30도 이하가 되면 '식었다.'를 말하고 멈춥니다.
2. 프로그램 종료하기

변수설명

▶ I
얼음의 크기를 조절하기 위한 변수입니다.(얼음은 0.1초에 1%씩 작아집니다.)
▶ 온도
얼음 크기의 1/5 만큼씩 감소한 온도를 저장하는 변수입니다.

코딩 스프라이트	얼음

지시사항

▶ *복제되었을 때*
1) **얼음** 스프라이트의 *y좌표가* '**150**'보다 작아질 때 까지 다음 내용을 반복하시오.
   ① I 변수가 '**4**'보다 크면
   – *크기를 I변수 %로 정하시오*
   – *I변수를 '*–1*'만큼 바꾸시오*
   – '**0.1**'*초 기다리시오.*

유의사항

보기블록 스프라이트에 주어진 블록만 이용하시오.
그렇지 않은 경우 채점되지 않습니다.
지시사항 이외의 블록을 변경하였을 경우 **"다시풀기"** 버튼을 눌러서 초기화 후 문제를 푸시기 바랍니다.

최신기출문제 1회 7번

[예제파일 : 최신기출문제1회 07 문제.sb2]   [정답파일 : 최신기출문제1회 07 정답.sb2]

YBM Coding Specialist

설명

눈이 내린 양에 따라 등교 시간이 달라지는 프로그램입니다.

동작과정

1. 🏴 클릭하기
2. 눈의 양을 입력합니다.
   → 오른쪽 방향키(→)를 누르면 캐릭터가 움직입니다.
   → 눈의 양에 따라 캐릭터의 움직이는 속도가 달라집니다.
3. 프로그램 종료하기

변수설명

▶ 눈
  눈이 내린 양을 저장하는 변수입니다.
▶ 속도
  속도를 계산하여 저장하는 변수입니다.

코딩 스프라이트	눈

지시사항

▶ *'생성' 메시지를 받았을 때*
1) '눈' 복제하기를 눈 변수 만큼 반복하시오

유의사항

지시사항에서 설명한 블록만 이용하시오.
그렇지 않은 경우 채점되지 않습니다.
지시사항 이외의 블록을 변경하였을 경우 **"다시풀기"** 버튼을 눌러서 초기화 후 문제를 푸시기 바랍니다.

코딩 스프라이트	고양이

지시사항

▶ *🏴 클릭했을 때*
1) 다음 내용을 무한반복 하시오.
   ① x좌표가 **'40'**보다 크면, 고양이 스프라이트 숨기시오.

유의사항

지시사항에서 설명한 블록만 이용하시오.
그렇지 않은 경우 채점되지 않습니다.
지시사항 이외의 블록을 변경하였을 경우 **"다시풀기"** 버튼을 눌러서 초기화 후 문제를 푸시기 바랍니다.

최신기출문제 1회 8번

[예제파일 : 최신기출문제1회 08 문제.sb2]   [정답파일 : 최신기출문제1회 08 정답.sb2]

YBM Coding Specialist

설명
말이 경주하는 프로그램입니다.

동작과정
1. 🏴 클릭하기
2. 말을 선택합니다.
   → 3마리의 말이 각각 다른 속도로 지정한 좌표까지 이동합니다.
3. 프로그램 종료하기

코딩 스프라이트	말1, 말2, 말3

지시사항

▶ **'출발'** *메시지를 받았을 때*
1) **말1, 말2, 말3** 스프라이트가 '**1**'부터 '**10**' 사이의 무작위 시간 동안 좌표 x:'**240**', y:'**y좌표**'로 움직이도록 스크립트를 수정하시오.

유의사항

지시사항에서 설명한 블록만 이용하시오.
그렇지 않은 경우 채점되지 않습니다.
지시사항 이외의 블록을 변경하였을 경우 **"다시풀기"** 버튼을 눌러서 초기화 후 문제를 푸시기 바랍니다.

최신기출문제 1회 9번

[예제파일 : 최신기출문제1회 09 문제.sb2]

[정답파일 : 최신기출문제1회 09 정답.sb2]

YBM Coding Specialist

설명

식물의 호흡을 보여주는 프로그램입니다.

동작과정

1. 🏳 클릭하면
   → 낮 또는 밤이 됩니다.
   → 낮이 되면 식물이 광합성을 하며, 산소는 증가하고 이산화탄소는 감소합니다.
   → 밤이 되면 식물이 호흡을 하며, 산소는 감소하고 이산화탄소는 증가합니다.
2. 프로그램 종료하기

변수설명

▶ 산소
산소 양을 저장하는 변수입니다.
▶ 이산화탄소
이산화탄소 양을 저장하는 변수입니다.
▶ 시간
낮 또는 밤을 결정하는 변수입니다.

코딩 스프라이트	무대

지시사항

▶ 🏳 클릭했을 때
1) 시간 변수를 '**3**'로 나눈 나머지가 '**0**'이면 배경이 '**밤**'이 되고, 그렇지 않으면 배경이 '**낮**'이 되도록 스크립트를 수정하시오.

유의사항

지시사항에서 설명한 블록만 이용하시오.
그렇지 않은 경우 채점되지 않습니다.
지시사항 이외의 블록을 변경하였을 경우 "**다시풀기**" 버튼을 눌러서 초기화 후 문제를 푸시기 바랍니다.

최신기출문제 1회 10번

[예제파일 : 최신기출문제1회 10 문제.sb2]   [정답파일 : 최신기출문제1회 10 정답.sb2]

YBM Coding Specialist

설명
바나나를 바구니에 담는 프로그램입니다.

동작과정
1. 🚩 클릭하기
2. 과일을 바구니로 드래그 합니다.
   → 바나나를 바구니에 담을 때 마다 수량이 1씩 증가합니다.
   → 바나나를 바구니에 100번 담으면 프로그램이 멈춥니다.
3. 프로그램 종료하기

변수설명

▶ 수량
  바나나를 바구니에 담은 수를 저장하는 변수입니다.

코딩 스프라이트	바나나

상황설명
바나나를 바구니에 담을 경우 바나나가 처음 위치에서 이동된 후 처음 위치에서 다시 보여지고 있습니다.

지시사항
▶ 🚩 클릭했을 때, 복제되었을 때
1) **바나나** 스프라이트를 움직이더라도 처음 위치에서 항상 보여지도록 스크립트 블록의 위치를 수정하시오.

유의사항
지시사항에서 설명한 블록만 이용하시오.
그렇지 않은 경우 채점되지 않습니다.
지시사항 이외의 블록을 변경하였을 경우 **"다시풀기"** 버튼을 눌러서 초기화 후 문제를 푸시기 바랍니다.

최신기출문제 2회 1번

[예제파일 : 최신기출문제2회 01 문제.sb2]　　　　　　　　　　　　　　[정답파일 : 최신기출문제2회 01 정답.sb2]

YBM Coding Specialist

설명
까마귀가 날면 배가 떨어지는 프로그램입니다.

동작과정
1. 🚩 클릭하면
   → 나뭇가지에 앉아있던 까마귀가 날아갑니다.
   → 까마귀가 날자 나뭇가지에 달린 배가 떨어집니다.
2. 프로그램 종료하기

코딩 스프라이트	까마귀

지시사항

▶ 🚩 클릭했을 때
1) **까마귀** 스프라이트를 보이게 한 후, **'90'**도 방향을 보게 하시오.
2) **까마귀** 스프라이트의 좌표를 x: **'70'**, y; **'110'**에 위치시키시오.
3) 모양을 **'까마귀1'**로 바꾸고, **동작** 추가블록을 실행시키시오.

▶ **'날기'** 메시지를 받았을 때
1) 모양을 **'까마귀2'**로 바꾸고, **'0.1'초** 기다린 후, 모양을 **'까마귀3'**으로 바꾸고, **'0.1'**초 기다리기를 **'15'**번 반복시키시오.

유의사항
지시사항에서 설명한 블록만 이용하시오.
그렇지 않은 경우 채점되지 않습니다.
지시사항 이외의 블록을 변경하였을 경우 **"다시풀기"** 버튼을 눌러서 초기화 후 문제를 푸시기 바랍니다.

최신기출문제 2회 2번

[예제파일 : 최신기출문제2회 02 문제.sb2]   [정답파일 : 최신기출문제2회 02 정답.sb2]

YBM Coding Specialist

설명

나비를 잡는 프로그램입니다.

동작과정

1. 🏴 클릭하면
   → 나뭇잎 위에 나비와 애벌레가 보입니다.
   → 나비를 클릭하면 나비가 날아갑니다.
   → 애벌레를 클릭하면 모양이 바뀌고, 나비가 되어 날아갑니다.
2. 프로그램 종료하기

코딩 스프라이트	애벌레

지시사항

▶ 이 스프라이트를 클릭했을 때
1) 모양을 '애벌레2'로 바꾸시오.
2) '1'초 기다린 후 숨기시오.
3) '도망'메시지를 방송하시오.

▶ '도망'메시지를 받았을 때
1) '나비'가 복제되도록 수정하시오.

유의사항

지시사항에서 설명한 블록만 이용하시오.
그렇지 않은 경우 채점되지 않습니다.
지시사항 이외의 블록을 변경하였을 경우 "**다시풀기**" 버튼을 눌러서 초기화 후 문제를 푸시기 바랍니다.

최신기출문제 2회 3번

[예제파일 : 최신기출문제2회 03 문제.sb2]   [정답파일 : 최신기출문제2회 03 정답.sb2]

YBM Coding Specialist

설명
자동차가 도로를 주행하는 프로그램입니다.

동작과정
1. 🚩 클릭하면
   → 자동차가 앞으로 움직입니다.
   → 방향키(↑,↓)를 눌러 반대편에서 오는 빨강차를 피합니다.
   → 빨강차와 부딪히면 멈춥니다.
2. 프로그램 종료하기

변수설명

▶ 위치
빨강차가 무작위의 위치에서 나타나도록 하기 위한 변수입니다.

코딩 스프라이트	빨강차

지시사항

▶ 다음 내용을 순서대로 **코딩** 추가블록을 완성하시오.
1) **위치** 변수가 '**1**'이면 **빨강차** 스프라이트의 좌표를 x: '**210**', y: '**−110**'로 이동시키시오.
2) **위치** 변수가 '**2**'이면 **빨강차** 스프라이트의 좌표를 x: '**210**', y: '**−75**'로 이동시키시오.
3) **빨강차** 스프라이트가 '**0.5**'부터 '**1**'사이의 난수초 동안 x:'**−210**', y: '**y좌표**'로 움직이게 하시오.

유의사항

지시사항에서 설명한 블록만 이용하시오.
그렇지 않은 경우 채점되지 않습니다.
지시사항 이외의 블록을 변경하였을 경우 "**다시풀기**" 버튼을 눌러서 초기화 후 문제를 푸시기 바랍니다.

최신기출문제 2회 4번

[예제파일 : 최신기출문제2회 04 문제.sb2]   [정답파일 : 최신기출문제2회 04 정답.sb2]

YBM Coding Specialist

설명
자연수를 저장하는 리스트를 생성하는 프로그램입니다.

동작과정
1. 🚩 클릭하면
    → 자연수를 입력합니다.
    → 입력한 자연수를 입력한 자연수만큼 리스트에 추가합니다.
2. 프로그램 종료하기

코딩 스프라이트	고양이

지시사항

▶ **생성** 추가블록

1) 모든 항목을 저장소에서 삭제하시오.
2) 입력한 자연수를 입력한 자연수만큼 **저장소** 리스트에 추가하는 **생성** 추가블록을 완성하시오.

유의사항
스크립트를 작성하는데 블록 사용의 제한은 없으나, 리스트의 이름은 반드시 **저장소**로 하시오

최신기출문제 2회 5번

[예제파일 : 최신기출문제2회 05 문제.sb2]   [정답파일 : 최신기출문제2회 05 정답.sb2]

YBM Coding Specialist

설명
1부터 100까지의 수 중에서 무작위의 10개 수의 평균을 계산하는 프로그램입니다.

동작과정
1. 🏴 클릭하면
   → 1부터 100까지의 수중에서 무작위로 10개의 수를 만듭니다.
   → 평균을 계산합니다.
   → 고양이가 계산결과를 말합니다.
2. 프로그램 종료하기

변수설명
▶ I
   반복문에 사용되는 변수입니다.
▶ 평균
   리스트의 평균이 저장되는 변수입니다.
▶ 합
   리스트의 합이 저장되는 변수입니다.

코딩 스프라이트	고양이

지시사항

▶ 🏴 클릭했을 때
1) 순서도를 참고하여 **평균** 추가블록을 완성하시오.

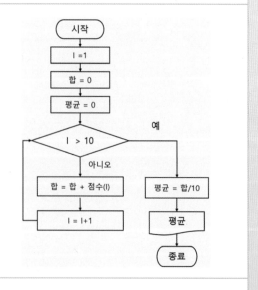

유의사항

보기블록 스프라이트에 주어진 블록만 이용하시오.
그렇지 않은 경우 채점되지 않습니다.
지시사항 이외의 블록을 변경하였을 경우 **"다시풀기"** 버튼을 눌러서 초기화 후 문제를 푸시기 바랍니다.

최신기출문제 2회 6번

[예제파일 : 최신기출문제2회 06 문제.sb2]

[정답파일 : 최신기출문제2회 06 정답.sb2]

YBM Coding Specialist

설명

로켓을 발사하는 프로그램입니다.

동작과정

1. ▶ 클릭하면
   - → 게이지가 1부터 10까지 좌우로 움직입니다.
   - → 게이지가 9이상 일 때 스페이스 키를 누르면 로켓이 무대 위로 사라집니다.
     - ▶그렇지 않으면 로켓이 무대 위로 움직이다가 방향을 바꿔 무대 아래로 사라집니다.
2. 프로그램 종료하기

변수설명

▶ 힘
  힘이 저장하는 변수입니다.

코딩 스프라이트	게이지

지시사항

▶ ▶ 클릭했을 때
1) 스페이스 키를 누를 때 까지 다음 모양으로 바꾼 후 **'0.5'**초 기다리기를 반복하시오.

유의사항

지시사항에서 설명한 블록만 이용하시오.
그렇지 않은 경우 채점되지 않습니다.
지시사항 이외의 블록을 변경하였을 경우 **"다시풀기"** 버튼을 눌러서 초기화 후 문제를 푸시기 바랍니다.

코딩 스프라이트	로켓

지시사항

▶ **스페이스** 키를 눌렀을때
1) **'힘>8'** 이면 **성공** 추가블록을 실행시키고, 그렇지 않으면 **실패** 추가 블록을 실행하시오.

유의사항

지시사항에서 설명한 블록만 이용하시오.
그렇지 않은 경우 채점되지 않습니다.
지시사항 이외의 블록을 변경하였을 경우 **"다시풀기"** 버튼을 눌러서 초기화 후 문제를 푸시기 바랍니다.

최신기출문제 2회 7번

[예제파일 : 최신기출문제2회 07 문제.sb2]   [정답파일 : 최신기출문제2회 07 정답.sb2]

설명

잠수부가 수영을 하는 프로그램입니다.

동작과정

1. 🚩 클릭하면
   - ↱ **잠수부**가 점점 가라앉습니다.
   - → 스페이스 키를 누르면 위로 뜹니다.
   - → 잠수부가 바닥에 닿으면 사라집니다.
2. 프로그램 종료하기

코딩 스프라이트	잠수부

지시사항

▶ 🚩 클릭했을 때
1) y좌표가 '−150'이 될 때까지 안에 다음 내용을 반복하시오.
   ① **스페이스** 키를 누를 때까지 다음을 반복하시오
      − y좌표를 '−1'만큼 바꾸시오.
      − y좌표가 '−150'이면 숨기고, 스크립트를 모두 멈추시오.

유의사항

지시사항에서 설명한 블록만 이용하시오.
그렇지 않은 경우 채점되지 않습니다.
지시사항 이외의 블록을 변경하였을 경우 "**다시풀기**" 버튼을 눌러서 초기화 후 문제를 푸시기 바랍니다.

최신기출문제 2회 8번

[예제파일 : 최신기출문제2회 08 문제.sb2]　　　　　　　　　[정답파일 : 최신기출문제2회 08 정답.sb2]

YBM Coding Specialist

설명
고양이가 열쇠를 찾아가는 프로그램입니다.

동작과정

1. 🏳 클릭하면
   → 방향키(←,→)를 누르면 고양이가 좌우로 움직입니다.
   → 방향키(↑)를 누르면 고양이가 사다리를 올라갑니다.
   → 스페이스 키를 누르면 장애물을 점프합니다.
   → 장애물에 부딪히면 시작위치로 돌아갑니다.
   → 고양이가 열쇠를 잡으면 'win!'을 말합니다.
2. 프로그램 종료하기

코딩 스프라이트	고양이

상황설명
방향키와 반대로 고양이가 움직이고 있습니다.

지시사항

▶ 오류가 있는 스크립트
1) **'왼쪽 화살표'** 키를 누르면, 왼쪽을 바라보고, **'10'**만큼 움직이도록 스크립트를 수정하시오.
2) **'오른쪽 화살표'** 키를 누르면 오른쪽을 바라보고, **'10'**만큼 움직이도록 스크립트를 수정하시오.

유의사항

지시사항에서 설명한 블록만 이용하시오.
그렇지 않은 경우 채점되지 않습니다.
지시사항 이외의 블록을 변경하였을 경우 **"다시풀기"** 버튼을 눌러서 초기화 후 문제를 푸시기 바랍니다.

최신기출문제 2회 9번

[예제파일 : 최신기출문제2회 09 문제.sb2]

[정답파일 : 최신기출문제2회 09 정답.sb2]

YBM Coding Specialist

설명
둥지에 있는 아기제비를 구하는 프로그램입니다.

동작과정
1. 🚩 클릭하면
   → **구렁이가 무작위의 위치에서 아기제비를 잡기 위해 움직입니다.**
      → 마우스로 구렁이를 클릭하면 구렁이의 모양이 바뀌고 사라집니다.
         ▶무작위의 위치에서 다시 구렁이가 나타납니다.
   → 아기제비가 구렁이에 닿으면 사라집니다
2. 프로그램 종료하기

변수설명

▶ 위치
구렁이의 위치를 결정하는 변수입니다.

코딩 스프라이트	구렁이

상황설명
구렁이 스프라이트를 클릭하였지만, 구렁이가 사라지지 않고 계속 움직이고 있습니다.

지시사항

▶ 이 스프라이트를 클릭했을 때
1) **구렁이** 스프라이트를 클릭하면 모양이 바뀌고 사라진 후 다른 위치에서 다시 나타나도록 명령 블록 1개
   를 추가하여 스크립트를 완성하시오.

유의사항

지시사항에서 설명한 블록만 이용하시오.
그렇지 않은 경우 채점되지 않습니다.
지시사항 이외의 블록을 변경하였을 경우 "**다시풀기**" 버튼을 눌러서 초기화 후 문제를 푸시기 바랍니다.

최신기출문제 2회 10번

[예제파일 : 최신기출문제2회 10 문제.sb2]   [정답파일 : 최신기출문제2회 10 정답.sb2]

YBM Coding Specialist

설명

주스 뚜껑을 닫는 게임프로그램입니다.

동작과정

1. ⚑ 클릭하면
   → 음료병이 컨베이어벨트를 타고 이동합니다.
   → 음료병이 컨베이어벨트에서 떨어지기 전에 뚜껑을 드래그하여 음료병의 입구를 막으면 100점 증가하고, 그렇지 않으면 100점 감소합니다.
2. 프로그램 종료하기

변수설명

▶ 점수
  점수가 저장되는 변수입니다.

코딩 스프라이트	음료병

지시사항

▶ **확인** 추가블록
1) **음료병** 스프라이트의 모양이 **'음료병1'**이면 **변경** 추가블록을 실행한 후 **점수** 변수를 **'100'**점 감소시키고, 그렇지 않으면 **'100'**점 증가시키도록 스크립트를 수정하시오.

유의사항

지시사항에서 설명한 블록만 이용하시오.
그렇지 않은 경우 채점되지 않습니다.
지시사항 이외의 블록을 변경하였을 경우 **"다시풀기"** 버튼을 눌러서 초기화 후 문제를 푸시기 바랍니다.

최신기출문제 3회 1번

[예제파일 : 최신기출문제3회 01 문제.sb2]   [정답파일 : 최신기출문제3회 01 정답.sb2]

YBM Coding Specialist

설명
움직이는 구름을 클릭하면 풍차 날개가 회전하는 프로그램입니다.

동작과정
1. ⚑ 클릭하면
   → 구름이 오른쪽에서 왼쪽으로 움직입니다.
   ▶ 이 때 구름을 클릭하면 풍차 날개가 반시계 방향으로 회전합니다.
2. 프로그램 종료하기

코딩 스프라이트	바람

지시사항

▶ **'바람'** *메시지를 받았을 때*
1) 다음 내용을 순서대로 작성하시오.
   ① **바람** 스프라이트를 보이게 하시오.
   ② **바람** 스프라이트를 맨 앞에 오도록 하시오.
   ③ **구름** 스프라이트 위치로 이동하시오.
   ④ x좌표를 **'-50'** 만큼 바꾸시오
   ⑤ y좌표를 **'-30'** 만큼 바꾸시오

유의사항
지시사항에서 설명한 블록만 이용하시오.
그렇지 않은 경우 채점되지 않습니다.
지시사항 이외의 블록을 변경하였을 경우 **"다시풀기"** 버튼을 눌러서 초기화 후 문제를 푸시기 바랍니다.

최신기출문제 3회 2번

[예제파일 : 최신기출문제3회 02 문제.sb2]

[정답파일 : 최신기출문제3회 02 정답.sb2]

YBM Coding Specialist

설명

고양이가 발판을 밟고 가는 프로그램입니다.

동작과정

1. 🚩 클릭하면
   → 고양이가 발판 위를 점프합니다.
   → 고양이가 발판에 닿았을 때 오른쪽 화살표(→)를 누르면 고양이는 점프를 하고, 발판이 오른쪽에서 왼쪽으로 이동합니다.
2. 프로그램 종료하기

변수설명

▶ N
   발판의 x좌표가 바뀌도록 하는 변수입니다.

코딩 스프라이트	발판

지시사항

▶ **오른쪽 화살표** 키를 눌렀을 때

1) **고양이** 스프라이트의 *y좌표가* '**-50**'보다 작으면 **이동** 메시지를 방송하고, '**0.5**'초 동안 좌표 x: '**x좌표-150**', y: '**-130**'으로 움직인 다음 **벽닿음** 추가블록을 실행하시오.

유의사항

지시사항에서 설명한 블록만 이용하시오.
그렇지 않은 경우 채점되지 않습니다.
지시사항 이외의 블록을 변경하였을 경우 "**다시풀기**" 버튼을 눌러서 초기화 후 문제를 푸시기 바랍니다.

최신기출문제 3회 3번

[예제파일 : 최신기출문제3회 03 문제.sb2]   [정답파일 : 최신기출문제3회 03 정답.sb2]

YBM Coding Specialist

설명
뿅망치로 두더지를 잡는 프로그램입니다.

동작과정
1. ▶ 클릭하기
   → 두더지가 무작위의 위치에서 나옵니다.
2. 마우스 포인터를 따라 뿅망치가 움직입니다.
3. **마우스**를 클릭하면 **뿅망치**로 **두더지**를 때립니다.
   → 두더지를 때리면 모양이 바뀌면서 사라지고 점수가 100점 올라갑니다.
   → 때리지 못하면 사라집니다.
4. 프로그램 종료하기

변수설명

▶ 위치
  두더지가 무작위의 위치에서 나타나도록 하는 변수입니다.
▶ 점수
  뿅망치로 두더지를 잡으면 100점씩 증가하는 변수입니다.

코딩 스프라이트	두더지

지시사항

▶ **두더지** 추가블록
1) 다음 지시사항을 순서대로 두더지 추가블록 스크립트를 완성하시오
   ① **위치** 변수를 '1'부터 '3'사이의 난수로 정하시오
   ② **위치** 변수가 '1'이면 좌표를 x: '-170', y: '40'으로 이동하시오
   ③ **위치** 변수가 '2'이면 좌표를 x: '-10', y: '40'으로 이동하시오.
   ④ **위치** 변수가 '3'이면 좌표를 x: '150', y: '40'으로 이동하시오

유의사항

보기블록 스프라이트에 주어진 블록만 이용하시오.
그렇지 않은 경우 채점되지 않습니다.
지시사항 이외의 블록을 변경하였을 경우 **"다시풀기"** 버튼을 눌러서 초기화 후 문제를 푸시기 바랍니다.

최신기출문제 3회 4번

[예제파일 : 최신기출문제3회 04 문제.sb2]　　　　　　　　　　[정답파일 : 최신기출문제3회 04 정답.sb2]

설명
처음 두 항은 1이고 세 번째 항부터는 바로 앞의 두 항의 합이 되는 피보나치 수열을 만드는 프로그램입니다.

동작과정
1. 🏳 클릭하면
   → 리스트의 첫 번째 데이터에 1을 삽입합니다.
   → 리스트의 두 번째 데이터에 1을 삽입합니다.
   → 리스트의 세 번째 데이터에 앞 두 데이터 값의 합을 삽입합니다.
      ▶ 위의 과정을 리스트의 데이터 수가 12개가 될 때까지 반복합니다.
2. 프로그램 종료하기

변수설명

▶ N
　리스트의 값을 검색하기 위해 사용하는 변수입니다.

코딩 스프라이트	고양이

지시사항

▶ 🏳 클릭했을 때
1) **피보나치 수열** 리스트의 첫 번째 데이터의 두 번째 데이터에 각각'1'이 입력 되어 있습니다. 피보나치 수열의 세 번째 항부터 열두 번째 항의 값을 삽입하는 스크립트를 완성하시오

유의사항

지시사항에서 설명한 블록만 이용하시오.
그렇지 않은 경우 채점되지 않습니다.
지시사항 이외의 블록을 변경하였을 경우 **"다시풀기"** 버튼을 눌러서 초기화 후 문제를 푸시기 바랍니다.

최신기출문제 3회 5번

[예제파일 : 최신기출문제3회 05 문제.sb2]　　　　　　　　　[정답파일 : 최신기출문제3회 05 정답.sb2]

YBM Coding Specialist

설명

리스트에 1부터 100사이의 무작위 숫자 10개 저장되어 있습니다. 이 중에서 짝수의 개수를 알려주는 프로그램입니다.

동작과정

1. 🚩 클릭하면
   → 리스트에 **1**부터 **100**사이의 무작위 숫자 **10**개가 저장됩니다.
   → 고양이가 리스트에 저장된 숫자 중에서 짝수의 개수를 말합니다
2. 프로그램 종료하기

변수설명

▶ N
　리스트의 값을 검색하기 위해 사용하는 변수입니다.
▶ 짝수
　짝수의 개수를 저장하는 변수입니다.

코딩 스프라이트	고양이

지시사항

▶ **계산** 추가블록
1) 순서도를 참고하여 리스트에 저장된 짝수의 개수를 말하는 스크립트를 작성하시오.

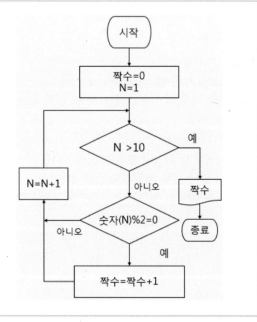

유의사항

지시사항에서 설명한 블록만 이용하시오.
그렇지 않은 경우 채점되지 않습니다.
지시사항 이외의 블록을 변경하였을 경우 **"다시풀기"** 버튼을 눌러서 초기화 후 문제를 푸시기 바랍니다.

최신기출문제 3회 6번

[예제파일 : 최신기출문제3회 06 문제.sb2]   [정답파일 : 최신기출문제3회 06 정답.sb2]

YBM Coding Specialist

설명
평행선을 그리는 프로그램입니다.

동작과정
1. 🏳 클릭하기
2. 그리고 싶은 평행선의 수(1~5)를 입력합니다.
   → 길이가 200인 직선을 그립니다.
   → 입력한 수 만큼의 **평행선**을 그립니다.
3. 프로그램 종료하기

변수설명

▶ N
  평행선을 그리기 위해 사용하는 변수입니다.
▶ 길이
  직선의 길이 200을 저장하고 있는 변수입니다.
▶ 평행선
  그리고 평행선의 수를 입력받아 저장하는 변수입니다.

코딩 스프라이트	고양이

지시사항

▶ **그리기** *추가블록*
1) 다음 내용을 **평행선** 매개변수만큼 반복하시오.
   ① N 변수가 **길이** 매개변수보다 작으면
      – 펜을 올리시오.
      – 좌표 x: **'−100'**, y: **'y좌표−50'**의 위치로 이동하시오.
      – 펜을 내리시오.
      – **길이** 매개변수만큼 움직이시오

유의사항

지시사항에서 설명한 블록만 이용하시오.
그렇지 않은 경우 채점되지 않습니다.
지시사항 이외의 블록을 변경하였을 경우 **"다시풀기"** 버튼을 눌러서 초기화 후 문제를 푸시기 바랍니다.

최신기출문제 3회 7번

[예제파일 : 최신기출문제3회 07 문제.sb2]   [정답파일 : 최신기출문제3회 07 정답.sb2]

YBM Coding Specialist

설명
청기백기 게임 프로그램입니다.

동작과정
1. 🚩 클릭하면
   → 펭귄이 청기와 백기 중 올릴지 내릴지를 말합니다.
   → 깃발의 색에 따라 청기는 b키, 백기는 w키를 누릅니다.
   → 깃발을 올릴 때는 방향키(↑)를 누릅니다.
2. 프로그램 종료하기

※'청기올려' : b키를 누르고 방향키(↑)를 누릅니다.

변수설명

▶ 지시
   펭귄이 지시를 내리기 위한 변수입니다.
▶ 점수
   점수가 저장되는 변수입니다.

코딩 스프라이트	백기

지시사항

▶ 🚩 *클릭했을 때*
1) 점수 변수가 '**1,000**'이 될 때까지 다음을 반복하시오.
   ① '**w**'*키를 누를 때까지 기다리시오.*
   ② **백기** *추가블록을 실행하시오.*
   ③ **초기화** *추가블록을 실행하시오.*

▶ **백기** *추가블록*
1) **지시** 변수가 '**2**'이면 **점수** 변수를 '**100**'*만큼 바꾸고*, 그렇지 않으면 '**−100**'*만큼 바꾸시오.*

유의사항

지시사항에서 설명한 블록만 이용하시오.
그렇지 않은 경우 채점되지 않습니다.
지시사항 이외의 블록을 변경하였을 경우 "**다시풀기**" 버튼을 눌러서 초기화 후 문제를 푸시기 바랍니다.

최신기출문제 3회 8번

[예제파일 : 최신기출문제3회 08 문제.sb2]   [정답파일 : 최신기출문제3회 08 정답.sb2]

YBM Coding Specialist

설명

화살표를 순서대로 눌러 포도즙을 만드는 프로그램입니다.

동작과정

1. 🏳 클릭하면
   → 네 방향을 지시하는 화살표 모양 8개가 무작위로 보입니다.
   → 제시된 화살표 모양에 맞게 키보드의 방향키(←, →, ↑, ↓)를 순서대로 누릅니다.
   → 제시된 8개의 모양을 순서에 맞게 누르면 나무통에 포도즙이 채워집니다.
2. 프로그램 종료하기

변수설명

▶ N
   반복문에 사용되는 변수입니다.
▶ 모양
   화살표의 모양이 무작위로 나타나게 하는 변수입니다.
▶ 성공
   화살표를 맞게 누르면 1씩 증가하는 변수입니다.

코딩 스프라이트	화살표

상황설명

현재 무대에 보이는 여덟 개의 화살표 중 첫 번째 화살표부터 여섯 번째 화살표까지 순서대로 누르면 포도즙이 만들어지고 있습니다.

지시사항

▶ **진행** *추가블록*
1) **무대**에 보여지는 여덟 개의 화살표를 순서대로 누를 경우에만 **나무통** 스프라이트의 모양이 **나무통2**로 바뀌도록 스크립트를 수정하시오.

유의사항

지시사항에서 설명한 블록만 이용하시오.
그렇지 않은 경우 채점되지 않습니다.
지시사항 이외의 블록을 변경하였을 경우 **"다시풀기"** 버튼을 눌러서 초기화 후 문제를 푸시기 바랍니다.

최신기출문제 3회 9번

[예제파일 : 최신기출문제3회 09 문제.sb2]   [정답파일 : 최신기출문제3회 09 정답.sb2]

YBM Coding Specialist

설명

주어진 공식을 이용하여 값을 계산하는 프로그램입니다.

동작과정   ※ 예시

1. ⚑ 클릭하기
2. 한 자리 숫자를 입력합니다.
   → 입력한 숫자와 입력한 숫자보다 '1'작은 수를 서로 곱셈 합니다.
   → 계산 결과 값을 리스트에 추가합니다.
   → 입력한 수를 '1' 감소시킵니다.
   → 결과 값이 '2'가 될 때 까지 위의 과정을 반복합니다.
3. 프로그램 종료하기

```
'5'입력

5 x 4 = 20

5 = 20
4 = 12
3 = 6
2 = 2
```

변수설명

▶ 자연수
  자연수를 입력받아 저장하는 변수입니다.

코딩 스프라이트	고양이

지시사항

▶ ⚑ 클릭했을 때
1) 입력한 한 자리의 자연수의 입력값보다 **'1'** 작은 수의 곱을 **곱** 리스트에 추가하도록 필요한 블록을 추가하여 스크립트를 완성하시오.

유의사항

지시사항에서 설명한 블록만 이용하시오.
그렇지 않은 경우 채점되지 않습니다.
지시사항 이외의 블록을 변경하였을 경우 **"다시풀기"** 버튼을 눌러서 초기화 후 문제를 푸시기 바랍니다.

최신기출문제 3회 10번

[예제파일 : 최신기출문제3회 10 문제.sb2]　　　　　　　　[정답파일 : 최신기출문제3회 10 정답.sb2]

YBM Coding Specialist

설명
주어진 공식을 이용하여 값을 계산하는 프로그램입니다.

동작과정
1. 🚩 클릭하기
2. 네 자릿수의 숫자를 입력합니다.
　→ 입력한 각 숫자에 원이 몇 개 있는지 계산합니다.
　→ 각 숫자의 원의 개수를 덧셈합니다.
　→ 고양이가 최종 결과 값을 말합니다.
3. 프로그램 종료하기

※ 예시
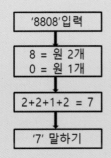

※ 원이 없는 수 : 1,2,3,4,5,7
※ 원이 1개 포함된 수 : 0,6,9
※ 원이 2개 포함된 수 : 8

변수설명
▶ N
네 자리의 자연수에서 자릿수를 계산하기 위해 사용되는 변수입니다.
▶ 원
원의 개수를 말하기 위해 사용하는 변수입니다.
▶ 자연수
자연수를 입력받아 저장하는 변수입니다.
▶ 조건1
입력한 네 자리의 자연수 중에서 '0', '6', '8', '9' 중 한 가지가 포함되어 있는지를 확인하는 변수입니다.

코딩 스프라이트	고양이

지시사항
▶ **판별 추가블록**
1) 입력한 네 자리의 수에서 **'0'** 또는 **'6'** 또는 **'9'**가 포함되어 있는 경우 원의 개수를 **'1'**만큼 증가시키고, **'8'** 이 포함된 경우에는 **'2'**만큼 증가시키도록 블록의 위치를 변경하시오.

유의사항
지시사항에서 설명한 블록만 이용하시오.
그렇지 않은 경우 채점되지 않습니다.
지시사항 이외의 블록을 변경하였을 경우 **"다시풀기"** 버튼을 눌러서 초기화 후 문제를 푸시기 바랍니다.

최신기출문제 4회 1번

[예제파일 : 최신기출문제4회 01 문제.sb2]　　　　　　　　　　　[정답파일 : 최신기출문제4회 01 정답.sb2]

YBM Coding Specialist

설명
농구공을 던져 바구니에 넣는 프로그램입니다.

동작과정
1. 🏳 클릭하기
2. 농구공은 던지기 위해 스페이스 키를 누릅니다.
   → 화살표가 초록 범위에 위치하면 농구공이 바구니에 들어갑니다.
   → 그렇지 않으면 농구공이 바구니에 들어가지 않습니다.
3. 프로그램 종료하기

변수설명

▶ N
농구공을 회전시키는 각도를 조절하기 위해 사용 하는 변수입니다.

코딩 스프라이트	농구공

지시사항

▶ 🏳 *클릭했을 때*
1) **농구공** 스프라이트를 좌표 x: '**−140**', y: '**−115**'에 위치시키시오.

▶ **실패** 메시지를 받았을 때
1) 다음 지시사항을 순서대로 '**60**'번 반복시키시오.
   ① **N** 변수를 '**6**'만큼 바꾸시오
   ② **농구공** 스프라이트를 시계방향으로 N 변수만큼 회전시키시오.

유의사항

지시사항에서 설명한 블록만 이용하시오.
그렇지 않은 경우 채점되지 않습니다.
지시사항 이외의 블록을 변경하였을 경우 "**다시풀기**" 버튼을 눌러서 초기화 후 문제를 푸시기 바랍니다.

최신기출문제 4회 2번

[예제파일 : 최신기출문제4회 02 문제.sb2]   [정답파일 : 최신기출문제4회 02 정답.sb2]

YBM Coding Specialist

설명
파란색 선물상자를 클릭하면 선물을 보여주는 프로그램입니다.

동작과정
1. 🏳 클릭하면
   → 파티장에 파란색 선물 상자 1개가 보입니다.
      ▶ 상자에는 '노트북', '드럼', '야구공' 세 가지 선물 중 한 가지가 무작위로 들어있습니다.
2. 프로그램 종료하기

변수설명

▶ 생성
   세 가지의 선물 중 한 가지가 상자에서 나오도록 하기 위한 변수입니다.

코딩 스프라이트	상자

지시사항

▶ 🏳 클릭했을 때
1) 상자 스프라이트를 보이게 하시오.
2) 크기를 '**200%**'로 정하기 하시오.
3) 상자 스프라이트를 x: '**0**', y: '**−50**'으로 이동하기 하시오.

▶ 이 스프라이트를 클릭했을 때
1) '**선택**' 메시지를 방송하고 숨기시오.

유의사항

지시사항에서 설명한 블록만 이용하시오.
그렇지 않은 경우 채점되지 않습니다.
지시사항 이외의 블록을 변경하였을 경우 "**다시풀기**" 버튼을 눌러서 초기화 후 문제를 푸시기 바랍니다.

코딩 스프라이트	선물

지시사항

▶ 🏳 클릭했을 때
1) **생성** 변수를 '**1**'부터 '**3**'사이의 난수로 정하시오.

유의사항

지시사항에서 설명한 블록만 이용하시오.

그렇지 않은 경우 채점되지 않습니다.

지시사항 이외의 블록을 변경하였을 경우 **"다시풀기"** 버튼을 눌러서 초기화 후 문제를 푸시기 바랍니다.

MEMO

최신기출문제 4회 3번

[예제파일 : 최신기출문제4회 03 문제.sb2]   [정답파일 : 최신기출문제4회 03 정답.sb2]

YBM Coding Specialist

설명
리스트에 저장된 값들 중에서 최댓값을 찾는 프로그램입니다.

동작과정
1. 🏴 클릭하면
   → 생성 리스트에 1부터 100사이의 난수 10개가 저장됩니다.
   → 생성 리스트에서 최댓값을 검색합니다.
   → 고양이가 최댓값을 말합니다.
2. 프로그램 종료하기

변수설명

▶ N
리스트에 저장된 값을 검색하기 위해 사용하는 변수입니다.
▶ 최댓값
리스트에 저장된 값 중에서 최댓값을 저장하는 변수입니다.

코딩 스프라이트	고양이

지시사항

▶ *🏴 클릭했을 때*
1) **'1'**부터 **'100'**사이의 난수 **'10'**개를 **생성** 리스트에 추가하시오

▶ **계산** 추가블록
1) **생성** 리스트에서 최댓값을 찾을 수 있도록 **N** 변수를 **'1'**만큼 바꾸는 블록을 필요한 위치에 추가하시오.

유의사항

보기블록 스프라이트에 주어진 블록만 이용하시오.
그렇지 않은 경우 채점되지 않습니다.
지시사항 이외의 블록을 변경하였을 경우 **"다시풀기"** 버튼을 눌러서 초기화 후 문제를 푸시기 바랍니다.

최신기출문제 4회 4번

[예제파일 : 최신기출문제4회 04 문제.sb2]   [정답파일 : 최신기출문제4회 04 정답.sb2]

YBM Coding Specialist

설명

버스에 탄 승객의 요금을 계산하는 프로그램입니다.

동작과정

1. 🏳 클릭하면
   → 승객 10명이 리스트에 무작위로 입력됩니다.
   → 대상(어린이, 청소년, 성인)에 따라 버스 요금을 계산합니다.
   → 고양이가 계산결과를 말합니다.
2. 프로그램 종료하기

변수설명

▶ 대상
   승객 리스트에 어린이, 청소년, 성인 중 한 가지를 저장하기 위해 사용하는 변수입니다.
▶ 요금
   버스요금을 계산하여 저장하는 변수입니다.

코딩 스프라이트	고양이

지시사항

▶ 🏳 클릭했을 때
1) 다음 지시사항을 순서대로 **'10'**번 반복하는 스크립트를 완성하시오.
   ① **대상** 변수를 **'1'**부터 **'3'**사이의 난수로 정하시오
   ② **대상**=1이면 **'어린이'** 항목을 **승객** 리스트에 추가하고, **요금** 변수를 **'500'** 만큼 바꾸시오
   ③ **대상**=2이면 **'청소년'** 항목을 **승객** 리스트에 추가하고, **요금** 변수를 **'900'** 만큼 바꾸시오.
   ④ **대상**=3이면 **'성인'** 항목을 **승객** 리스트에 추가하고, **요금** 변수를 **'1200'**만큼 바꾸시오.

유의사항

보기블록 스프라이트에 주어진 블록만 이용하시오.
그렇지 않은 경우 채점되지 않습니다.
지시사항 이외의 블록을 변경하였을 경우 **"다시풀기"** 버튼을 눌러서 초기화 후 문제를 푸시기 바랍니다.

최신기출문제 4회 5번

[예제파일 : 최신기출문제4회 05 문제.sb2]   [정답파일 : 최신기출문제4회 05 정답.sb2]

YBM Coding Specialist

설명

1부터 100까지의 자연수 중에서 홀수와 3의 배수인 수들의 합을 계산하는 프로그램입니다.

동작과정

1. 🏁 클릭하면
   → 1부터 100까지의 자연수 중에서 홀수 또는 3의 배수인 수들의 합을 계산합니다.
2. 프로그램 종료하기

※ 참고 : '3'의 경우 홀수이면서 3의 배수입니다. 따라서 '3'은 중복하여 합산하여야 하며 그 계산결과는 '7'이 됩니다.

변수설명

▶ N
   1부터 100까지의 자연수가 홀수와 3의 배수인지를 판단하기 위해 사용하는 변수입니다.
▶ 합
   홀수와 3의 배수인 자연수들의 합을 계산하여 저장하는 변수입니다.

코딩 스프라이트	고양이

지시사항

▶ **계산** 추가블록
1) 1부터 100까지의 수 중에서 홀수 또는 3의 배수인 수들의 **합**을 말하는 스크립트를 완성하시오.

유의사항

주어진 **합** 변수, **N** 변수를 이용하되, **계산** 추가블록 스크립트는 자유롭게 완성하시오.
지시사항 이외의 블록을 변경하였을 경우 **"다시풀기"** 버튼을 눌러서 초기화 후 문제를 푸시기 바랍니다.

최신기출문제 4회 6번

[예제파일 : 최신기출문제4회 06 문제.sb2]   [정답파일 : 최신기출문제4회 06 정답.sb2]

YBM Coding Specialist

설명
10!을 계산하는 프로그램입니다.

동작과정
1. 🏴 클릭하면
   → 10!을 계산합니다.   → 고양이가 계산결과를 말합니다.
2. 프로그램 종료하기

※ 참고 : 10!=10x9x8x7x6x5x4x3x2x1

변수설명

▶ N
  팩토리얼(계승)을 계산한 값을 저장하고 있는 변수입니다.
▶ 계산
  계산하고 싶은 팩토리얼 값을 저장하는 변수입니다.

코딩 스프라이트	고양이

지시사항

▶ 🏴 *클릭했을 때*
1) 다음 순서도를 참고하여 '10!'의 값을 올바르게
   계산하도록 스크립트를 완성하시오.

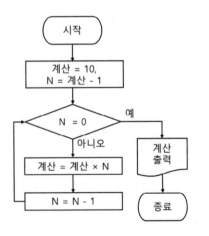

유의사항

보기블록 스프라이트에 주어진 블록만 이용하시오. 그렇지 않은 경우 채점되지 않습니다.
지시사항 이외의 블록을 변경하였을 경우 **"다시풀기"** 버튼을 눌러서 초기화 후 문제를 푸시기 바랍니다.

최신기출문제 4회 7번

[예제파일 : 최신기출문제4회 07 문제.sb2]   [정답파일 : 최신기출문제4회 07 정답.sb2]

YBM Coding Specialist

설명
주어진 예시를 이용하여 값을 계산하는 프로그램입니다.

동작과정
1. 🏳 클릭하면
   → 네 자리 숫자의 각 자리의 숫자를 덧셈합니다.
   → 고양이가 계산한 결과 값의 마지막 숫자를 말합니다.
2. 프로그램 종료하기

※ 예시

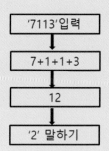

```
'7113' 입력
   ↓
7+1+1+3
   ↓
  12
   ↓
'2' 말하기
```

변수설명

▶ N
   자연수의 자릿수를 판단하기 위해 사용하는 변수입니다.
▶ 합
   계산 결과를 저장하는 변수입니다.

코딩 스프라이트	고양이

지시사항

▶ **계산** 추가블록
1) 네 자리 숫자의 각 자리의 숫자를 덧셈하여 계산 값의 마지막 숫자를 말하도록 스크립트를 완성하시오.

유의사항

보기블록 스프라이트에 주어진 블록만 이용하시오.
그렇지 않은 경우 채점되지 않습니다.
지시사항 이외의 블록을 변경하였을 경우 **"다시풀기"** 버튼을 눌러서 초기화 후 문제를 푸시기 바랍니다.

최신기출문제 4회 8번

[예제파일 : 최신기출문제4회 08 문제.sb2]   [정답파일 : 최신기출문제4회 08 정답.sb2]

설명
산소와 수소가 결합하여 물이 되는 프로그램입니다.

동작과정
1. 🏁 클릭하면
   → 산소 1개와 수소 2개가 무작위로 움직입니다.
   → 산소 1개와 수소 2개가 만나면 물로 변합니다.
2. 프로그램 종료하기

변수설명

▶ H
  산소에 수소가 몇 개 결합되었는지 확인하는 변수입니다.

코딩 스프라이트	수소1

지시사항

▶ **결합1** 메시지를 받았을때
1) 다음 지시사항을 순서대로 무한반복 시키시오
   ① **수소1** 스프라이트를 **산소** 스프라이트 위치로 이동시키시오.
   ② x좌표를 '**20**'만큼 바꾸시오
   ③ y좌표를 '**−10**'만큼 바꾸시오
   ④ 만약 **H=2**이면 **수소1** 스프라이트를 숨기시오.

유의사항

보기블록1 스프라이트에 주어진 블록만 이용하시오.
그렇지 않은 경우 채점되지 않습니다.
지시사항 이외의 블록을 변경하였을 경우 "**다시풀기**" 버튼을 눌러서 초기화 후 문제를 푸시기 바랍니다.

코딩 스프라이트	산소

지시사항

▶ **이동** 메시지를 받았을 때
1) 다음 지시사항을 순서대로 작성하시오
   ① **산소** 스프라이트가 벽에 닿으면 팅기시오.
   ② **산소** 스프라이트를 시계방향으로 '**−10**'부터 '**10**' 사이의 난수 각도로 회전시키시오.

유의사항

보기블록2 스프라이트에 주어진 블록만 이용하시오.
그렇지 않은 경우 채점되지 않습니다.
지시사항 이외의 블록을 변경하였을 경우 "**다시풀기**" 버튼을 눌러서 초기화 후 문제를 푸시기 바랍니다.

최신기출문제 4회 9번

[예제파일 : 최신기출문제4회 09 문제.sb2]   [정답파일 : 최신기출문제4회 09 정답.sb2]

YBM Coding Specialist

설명
허용 전류를 초과하면 전기가 차단되는 프로그램입니다.

동작과정
1. ⚑ 클릭하면
   → 전류량이 10에서 22 사이의 값으로 움직입니다.
   → 전류량이 20을 초과하면 누전차단기가 작동(ON)합니다.
2. 프로그램 종료하기

변수설명
▶ 전류량
  10에서 22사이의 값을 저장하는 변수입니다..

코딩 스프라이트	누전차단기

지시사항

▶ 초기화 계산블록
1) **전류량** 변수를 '**0**'으로 정하시오.

▶ 차단여부 추가블록
1) **NUM** 매개변수가 '**20**'을 초과하면 누전차단기 스프라이트 모양이 '**ON**'이 되고, 그렇지 않으면 '**OFF**'가
   되도록 스크립트를 완성하시오.

유의사항

보기블록 스프라이트에 주어진 블록만 이용하시오.
그렇지 않은 경우 채점되지 않습니다.
지시사항 이외의 블록을 변경하였을 경우 **"다시풀기"** 버튼을 눌러서 초기화 후 문제를 푸시기 바랍니다.

최신기출문제 4회 10번

[예제파일 : 최신기출문제4회 10 문제.sb2]　　　　　　　　　　　[정답파일 : 최신기출문제4회 10 정답.sb2]

YBM Coding Specialist

설명

369게임 프로그램입니다.

동작과정

1. 🏴 클릭하면
   - → 고양이가 '삼육구~삼육구~'를 말합니다.
   - → 1부터 숫자를 순서대로 입력합니다.
   - → 3, 6, 9가 포함되는 숫자에는 '짝'을 입력합니다.
   - → 잘못된 값을 입력하면 고양이가 '틀렸습니다'를 말합니다.
   - → 해당 순서의 값을 다시 입력합니다.
2. 프로그램 종료하기

변수설명

▶ N
반복문에 사용되며, 판별 추가블록에 3, 6, 9가 포함되는지 확인할 경우 필요한 변수입니다.
▶ 판별
입력해야하는 숫자에 3,6,9가 들어가는지 판별하는 변수입니다.

코딩 스프라이트	고양이

지시사항

▶ **삼육구** 추가블록
1) 현재 스크립트에서 **'4'** 또는 **'7'**을 입력할 차례에 **'4'** 또는 **'7'**을 입력하면 틀렸다고 말합니다. 프로그램이
   올바르게 수행되도록 잘못 된 블록의 값을 수정하시오

유의사항

지시사항에서 설명한 블록만 이용하시오.
그렇지 않은 경우 채점되지 않습니다.
지시사항 이외의 블록을 변경하였을 경우 **"다시풀기"** 버튼을 눌러서 초기화 후 문제를 푸시기 바랍니다.

최신기출문제 5회 1번

[예제파일 : 최신기출문제5회 01 문제.sb2]　　　　　　　　[정답파일 : 최신기출문제5회 01 정답.sb2]

YBM Coding Specialist

설명

고양이가 좌우로 움직이며 구름을 밟고 점프하는 프로그램입니다.

동작과정

1. ▶ 클릭하면
   → 스페이스 키를 누르면 고양이가 점프를 합니다.
   ▶ 스페이스 키를 누른 후, 왼쪽화살표 키를(←)를 누르면 고양이가 왼쪽사선으로 점프를 합니다.
   ▶ 스페이스 키를 누른 후, 오른쪽 화살표 키를(→)를 누르면 고양이가 오른쪽 사선으로 점프를 합니다.
   ▶ 고양이가 점프를 하면 무대에 있는 구름들이 무대의 아래로 이동합니다.
   ▶ 고양이가 점프하여 구름에 올라서면 프로그램은 계속 진행이 되며, 그렇지 않으면 프로그램이 종료됩니다.
2. 프로그램 종료하기

코딩 스프라이트	고양이

지시사항

▶ **낙하** 추가블록
1) **고양이** 스프라이트가 y좌표= '−180' 또는 **구름1** 스프라이트 또는 **구름2** 스프라이트 또는 **구름3** 스프라이트에 닿을 때까지 다음 지시사항을 순서대로 반복하시오.
   ① y좌표를 '−10' 만큼 바꾸시오
   ② '0.05' 초 기다리시오

유의사항

보기블록 스프라이트에 주어진 블록만 이용하시오.
그렇지 않은 경우 채점되지 않습니다.
지시사항 이외의 블록을 변경하였을 경우 **"다시풀기"** 버튼을 눌러서 초기화 후 문제를 푸시기 바랍니다.

코딩 스프라이트	구름1

지시사항

▶ ▶ 클릭했을 때
1) **구름1** 스프라이트를 다음 지시사항의 순서대로 작성하시오
   ① **구름1** 스프라이트를 보이게 하고, 크기를 '50'% 정하시오
   ② **구름1** 스프라이트를 x좌표: '0' y좌표:'−120'으로 이동하시오

유의사항

지시사항에서 설명한 블록만 이용하시오.
그렇지 않은 경우 채점되지 않습니다.
지시사항 이외의 블록을 변경하였을 경우 **"다시풀기"** 버튼을 눌러서 초기화 후 문제를 푸시기 바랍니다.

최신기출문제 5회 2번

[예제파일 : 최신기출문제5회 02 문제.sb2]   [정답파일 : 최신기출문제5회 02 정답.sb2]

YBM Coding Specialist

설명

지문을 인식하여 금고를 여는 프로그램입니다.

동작과정

1. 🏳 클릭하면
    → 금고의 인식영역에 지문이 보입니다.
2. 인식영역에서 제시한 지문을 선택하여 드래그하여 올려둡니다.
    → 잘못된 지문일 경우 '등록된 지문과 다릅니다.'를 말합니다.
    → 올바른 지문일 경우 인식부분의 색깔이 파란색으로 바뀝니다.
        ▶ 인식부분이 '지문이 일치합니다.' 말합니다.
3. 프로그램 종료하기

코딩 스프라이트	인식영역

지시사항

▶ **체크** 추가블록
1) 다음 지시사항을 순서대로 작성하시오.
    ① **등록지문** 스프라이트의 모양이 '**1**'이면 **지문1** 추가블록을 실행하시오.
    ② **등록지문** 스프라이트의 모양이 '**2**'이면 **지문2** 추가블록을 실행하시오.
    ③ **등록지문** 스프라이트의 모양이 '**3**'이면 **지문3** 추가블록을 실행하시오.

유의사항

보기블록1 스프라이트에 주어진 블록만 이용하시오.
그렇지 않은 경우 채점되지 않습니다.
지시사항 이외의 블록을 변경하였을 경우 **"다시풀기"** 버튼을 눌러서 초기화 후 문제를 푸시기 바랍니다.

코딩 스프라이트	등록지문

지시사항

▶ 🏳 클릭했을 때
1) 다음 지시사항을 순서대로 작성하시오
    ① **등록지문** 스프라이트의 크기를 '**20**'%로 정하시오
    ② **등록지문** 스프라이트를 '**지문**'과 '**1**'부터 '**3**'사이의난수를 결합한 모양으로 바꾸시오.
    ③ **등록지문** 스프라이트를 좌표위치 x: '**-150**' y : '**-20**'으로 이동하시오

유의사항

보기블록2 스프라이트에 주어진 블록만 이용하시오.
그렇지 않은 경우 채점되지 않습니다.
지시사항 이외의 블록을 변경하였을 경우 **"다시풀기"** 버튼을 눌러서 초기화 후 문제를 푸시기 바랍니다.

최신기출문제 5회 3번

[예제파일 : 최신기출문제5회 03 문제.sb2]   [정답파일 : 최신기출문제5회 03 정답.sb2]

YBM Coding Specialist

설명

고양이가 도넛을 받는 프로그램입니다.

동작과정

1. 🏁 클릭하면
   → 꽃게가 도넛을 임의의 위치로 던집니다.
   → 도넛을 받기 위해 방향키(←,→)를 이용하여 고양이를 좌우로 움직입니다.
   → 고양이가 도넛을 잡으면 점수가 1점 증가하고, 그렇지 않으면 점수가 증가하지 않습니다.
2. 프로그램 종료하기

변수설명

▶ 점수
   고양이가 도넛을 잡을 때 마다 1씩 증가하는 변수입니다.

코딩 스프라이트	고양이

지시사항

▶ 🏁 클릭했을 때
1) **고양이** 스프라이트가 **도넛** 스프라이트에 닿으면 다음 지시사항을 순서대로 동작하도록 스크립트를 작성하시오.
   ① **점수** 변수를 '1'만큼 바꾸시오   ② '0.5'초 기다리시오.

유의사항

지시사항에서 설명한 블록만 이용하시오.
그렇지 않은 경우 채점되지 않습니다.
지시사항 이외의 블록을 변경하였을 경우 "**다시풀기**" 버튼을 눌러서 초기화 후 문제를 푸시기 바랍니다.

코딩 스프라이트	도넛

지시사항

▶ 🏁 클릭했을 때
1) 다음 지시사항이 무한반복 하도록 순서대로 작성하시오.
   ① **도넛** 스프라이트를 좌표 위치 x : '30' y : '−140' 으로 이동하시오.
   ② **도넛** 스프라이트가 '−15'부터 '15' 사이의 난수 각도 방향을 보게 하시오.
   ③ **도넛** 스프라이트가 **벽** 또는 **고양이**에 닿을 때 까지 '10'만큼 움직이기를 반복하시오.

유의사항

보기블록 스프라이트에 주어진 블록만 이용하시오.
그렇지 않은 경우 채점되지 않습니다.
지시사항 이외의 블록을 변경하였을 경우 "**다시풀기**" 버튼을 눌러서 초기화 후 문제를 푸시기 바랍니다.

최신기출문제 5회 4번

[예제파일 : 최신기출문제5회 04 문제.sb2]　　　　　　　　　　　　　[정답파일 : 최신기출문제5회 04 정답.sb2]

YBM Coding Specialist

설명
주어진 리스트에서 홀수의 개수를 계산하는 프로그램입니다.

동작과정
1. 🚩 클릭하면
   → 고양이가 리스트의 값들을 검색하여 홀수인지 판단합니다.
   ▶ **홀수이면 홀수변수를 '1' 증가시킵니다**
   → 고양이가 홀수의 개수를 말합니다.
2. 프로그램 종료하기

변수설명

▶ N
리스트의 값을 검색하기 위해 사용하는 변수입니다.
▶ 홀수
리스트의 값이 홀수이면 1씩 증가하는 변수입니다..

코딩 스프라이트	고양이

지시사항

▶ 🚩 클릭했을 때
1) 리스트의 항목이 홀수이면 **홀수** 변수가 **'1'** 증가하도록 스크립트를 완성하시오

유의사항

보기블록 스프라이트에 주어진 블록만 이용하시오.
그렇지 않은 경우 채점되지 않습니다.
지시사항 이외의 블록을 변경하였을 경우 **"다시풀기"** 버튼을 눌러서 초기화 후 문제를 푸시기 바랍니다.

최신기출문제 5회 5번

[예제파일 : 최신기출문제5회 05 문제.sb2]   [정답파일 : 최신기출문제5회 05 정답.sb2]

YBM Coding Specialist

설명
주어진 예시를 이용하여 네 자리의 자연수를 계산하는 프로그램입니다.

동작과정

1. 🚩 클릭하디
   → 주어진 예시의 수식을 이용하여 '1723'을 계산합니다.
   → 고양이가 계산 결과 '6'을 말합니다

2. 프로그램 종료하기

※ 예시

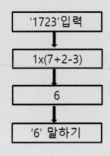

※ 참고

자연수	계산결과
3212	3
8432	40

변수설명

▶ 결과
   계산 결과가 저장되는 변수입니다.

코딩 스프라이트	고양이

지시사항

▶ **계산 추가블록**
1) 동작과정의 예시를 참고하여 **고양이** 스프라이트가 **결과** 변수를 말하도록 스크립트를 작성하시오.

유의사항

주어진 **결과** 변수, 기타 필요한 블록을 이용하여 결과를 말하도록 스크립트를 자유롭게 작성하시오. 그렇지 않은 경우 채점되지 않습니다.
지시사항 이외의 블록을 변경하였을 경우 **"다시풀기"** 버튼을 눌러서 초기화 후 문제를 푸시기 바랍니다.

최신기출문제 5회 6번

[예제파일 : 최신기출문제5회 06 문제.sb2]　　　　　　　　　　　　　　[정답파일 : 최신기출문제5회 06 정답.sb2]

YBM Coding Specialist

설명

계차수열 '1+3+6+10+...+4950+5050'을 계산하는 프로그램입니다.

※ 수열 : 일정한 규칙에 따라 배열된 수의 열을 의미합니다.

※ 계차수열 : 그 수열의 인접하는 두 항의 차로 이루어지는 수열입니다.

동작과정

1. 🏳 클릭하기
   → 주어진 수식을 계산합니다.　　　　　→ 고양이가 계산 결과 '171700'을 말합니다.
2. 프로그램 종료하기

변수설명

▶ A
　결과 변수에 계산 값을 저장하기 위해 사용되는 변수입니다.
▶ B
　A 변수 값이 계차수열의 항만큼 증가하도록 하는 변수입니다.
▶ 결과
　계산 결과가 저장되는 변수입니다.

코딩 스프라이트	고양이

지시사항

▶ 클릭했을 때

1) 아래 제시된 순서도를 보고 주어진 수식을 계산 하는
   스크립트를 완성하시오.

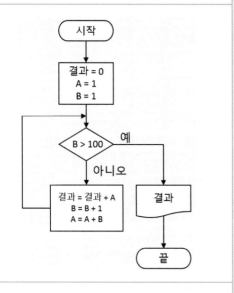

유의사항

보기블록 스프라이트에 주어진 블록만 이용하시오.

그렇지 않은 경우 채점되지 않습니다.

지시사항 이외의 블록을 변경하였을 경우 **"다시풀기"** 버튼을 눌러서 초기화 후 문제를 푸시기 바랍니다.

최신기출문제 5회 7번

[예제파일 : 최신기출문제5회 07 문제.sb2]   [정답파일 : 최신기출문제5회 07 정답.sb2]

YBM Coding Specialist

설명

박물관의 하루 총 입장료를 계산하는 프로그램입니다.

동작과정

1. ⚑ 클릭하면
   → 리스트의 값을 검색합니다.
   → 입장료를 계산합니다
     ▶ 유아는 0원입니다.
     ▶ 학생이면 수입을 2,000원을 증가시킵니다.
     ▶ 성인이면 수입을 3,000원을 증가시킵니다.
   → 고양이가 하루 총 입장료를 말합니다.
2. 프로그램 종료하기

변수설명

▶ N
  난수가 저장되는 변수입니다.
▶ 수입
  하루 총 입장료가 저장되는 변수입니다.

코딩 스프라이트	고양이

지시사항

▶ ⚑ 클릭했을 때
1) **수입** 변수를 '0'으로 정하시오
2) **손님** 리스트의 항목을 모두 삭제하시오.
3) **계산** 추가블록을 실행하시오.

▶ 계산 추가블록
1) **손님** 리스트의 항목 수가 '**100**'일 때까지 다음 지시사항을 순서대로 반복하시오.
   ① **N** 변수를 '**1**'부터 '**3**' 사이의 난수로 정하시오
   ② 만약 N변수가 '**1**'이면 '**유아**' 항목을 손님에 추가하시오
   ③ 만약 N변수가 '**2**'이면 '**학생**' 항목을 손님에 추가하고, **수입** 변수를 '**1000**'만큼 바꾸시오.
   ④ 만약 N변수가 '**3**'이면 '**성인**' 항목을 손님에 추가하고, **수입** 변수를 '**3000**'만큼 바꾸시오.

유의사항

보기블록 스프라이트에 주어진 블록만 이용하시오.
그렇지 않은 경우 채점되지 않습니다.
지시사항 이외의 블록을 변경하였을 경우 **"다시풀기"** 버튼을 눌러서 초기화 후 문제를 푸시기 바랍니다.

최신기출문제 5회 8번

[예제파일 : 최신기출문제5회 08 문제.sb2]   [정답파일 : 최신기출문제5회 08 정답.sb2]

YBM Coding Specialist

설명
나팔고둥 클릭하면 펭귄이 결승선을 향해 헤엄치는 프로그램입니다.

동작과정
1. 🚩 클릭하기
2. 무대에 있는 나팔고둥 클릭합니다.
   → 고둥소리가 납니다.
   → 펭귄이 결승선을 향해 헤엄칩니다.
   → 펭귄이 결승선에 도착하면 꽃가루가 날립니다.
3. 프로그램 종료하기

변수설명

▶ 종료
  펭귄이 결승선에 닿으면 프로그램을 종료하기 위해 사용하는 변수입니다.

코딩 스프라이트	펭귄

지시사항

▶ 펭귄 수영 메시지를 받았을때
1) **종료** 변수가 '**1**'이 될 때까지 다음 지시사항을 순서대로 반복하시오.
   ① **펭귄** 스프라이트의 **X좌표**를 '**−10**' 만큼 바꾸시오.
   ② **펭귄** 스프라이트를 다음 모양으로 바꾸시오
   ③ '**0.1**'초 기다리시오

▶ **종료** 추가블록
1) **종료** 변수가 '**1**'이 될 때까지 다음 지시사항을 순서대로 반복하시오.
   ① **펭귄** 스프라이트가 **결승선** 스프라이트에 닿으면 **꽃가루** 메시지를 방송하고 **종료** 변수를 '**1**'만큼 바꾸시오.

유의사항

보기블록 스프라이트에 주어진 블록만 이용하시오.
그렇지 않은 경우 채점되지 않습니다.
지시사항 이외의 블록을 변경하였을 경우 "**다시풀기**" 버튼을 눌러서 초기화 후 문제를 푸시기 바랍니다.

최신기출문제 5회 9번

[예제파일 : 최신기출문제5회 09 문제.sb2]   [정답파일 : 최신기출문제5회 09 정답.sb2]

YBM Coding Specialist

설명

사과 또는 메론을 담을 상자의 수를 계산하는 프로그램입니다.

동작과정

1. ⚑ 클릭하기
2. 과일의 종류(사과 또는 메론)을 입력합니다.
3. 상자에 담을 과일의 수를 입력합니다.
   → 과일을 담기 위해 필요한 상자의 수를 계산합니다.
   → 고양이가 필요한 상자의 수를 말합니다.
4. 프로그램 종료하기
※ 한 상자에 사과는 15개를 담을 수 있고, 메론은 6개를 담을 수 있습니다.

변수설명

▶ 결과
   계산 결과가 저장되는 변수입니다.
▶ 과일
   입력한 과일을 저장하는 변수입니다.
▶ 과일개수
   과일의 개수가 저장되는 변수입니다.

코딩 스프라이트	고양이

상황설명

현재 프로그램은 사과와 '16'을 입력할 경우 필요한 상자의 개수는 '2'가 나와야 하지만 '1'로 계산되고 있습니다. 또한 메론과 '7'을 입력할 경우 필요한 상자의 개수는 '2'가 되어야 하지만 '1'로 계산되고 있습니다.

지시사항

▶ **계산** 추가블록
1) 상자에 담을 과일의 종류와 개수를 입력받아 과일을 담기 위해 필요한 상자의수를 계산하여 말하도록 함수를 수정하시오.

유의사항

지시사항에서 설명한 블록만 이용하시오.
그렇지 않은 경우 채점되지 않습니다.
지시사항 이외의 블록을 변경하였을 경우 **"다시풀기"** 버튼을 눌러서 초기화 후 문제를 푸시기 바랍니다.

최신기출문제 5회 10번

[예제파일 : 최신기출문제5회 10 문제.sb2]　　　　　　　　　　　　　[정답파일 : 최신기출문제5회 10 정답.sb2]

YBM Coding Specialist

설명
꼭짓점의 수와 길이를 입력받아 정다각형을 그리는 프로그램입니다.

동작과정
1. 🚩 클릭하기
   → 꼭짓점의 수(3~8)를 입력합니다.
   → 한 변의 길이를 입력합니다.
   → 고양이가 도형을 그립니다.
2. 프로그램 종료하기

변수설명

▶ 꼭지점
　꼭지점의 수가 저장되는 변수입니다.
▶ 길이
　변의 길이가 저장되는 변수입니다.

코딩 스프라이트	고양이

지시사항

▶ **그리기** 추가블록
1) **꼭짓점**의 수와 한 변의 **길이**를 입력받아 정다각형을 그리도록 명령 블록 2개의 위치를 변경 하여 프로그램이 올바르게 동작하도록 수정하시오.

유의사항

지시사항에서 설명한 블록만 이용하시오.
그렇지 않은 경우 채점되지 않습니다.
지시사항 이외의 블록을 변경하였을 경우 **"다시풀기"** 버튼을 눌러서 초기화 후 문제를 푸시기 바랍니다.

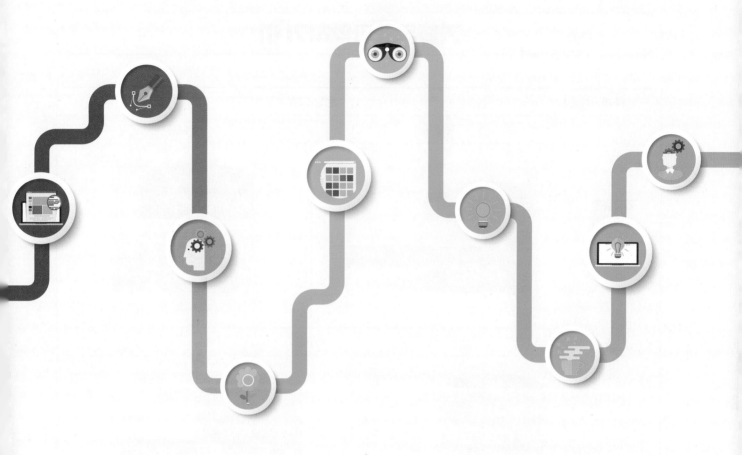

기출유형 파악하기
정답

기출유형파악하기 01

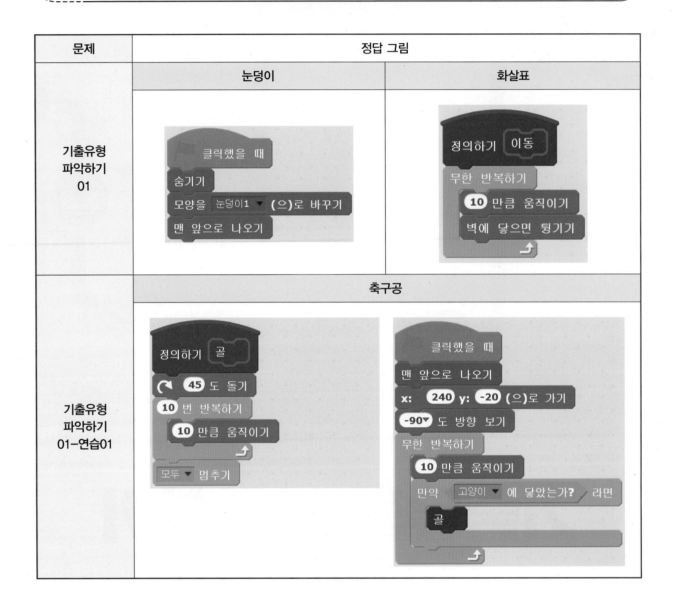

문제	정답 그림	
	눈덩이	화살표
기출유형 파악하기 01		
	축구공	
기출유형 파악하기 01-연습01		

문제	정답 그림	
	큐대	
기출유형 파악하기 01-연습02	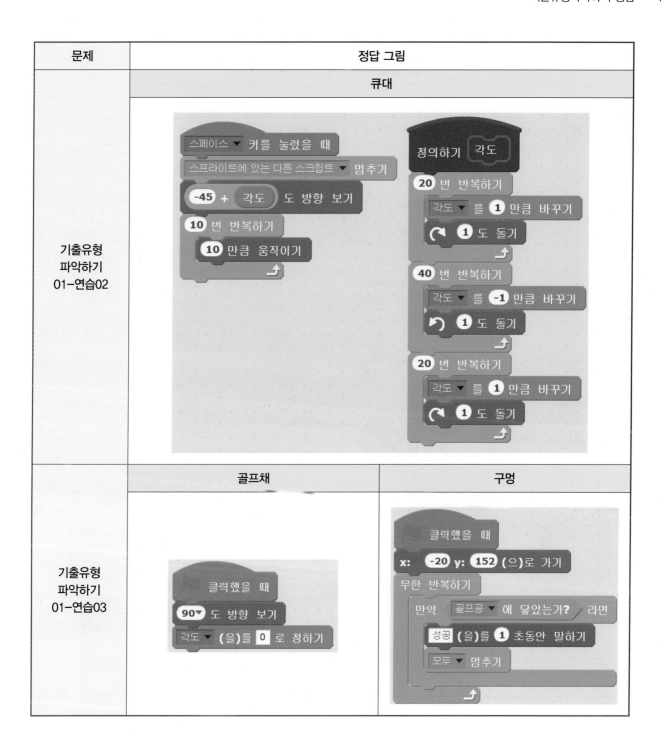	
	골프채	구멍
기출유형 파악하기 01-연습03		

기출유형파악하기 02

문제	정답 그림
기출유형 파악하기 02	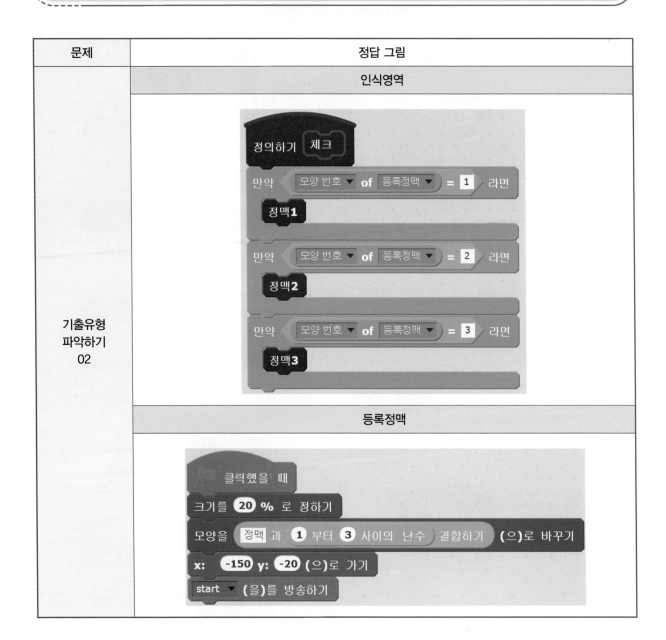

문제	정답 그림
기출유형 파악하기 02-연습01	**동공1** 동과 ▼ (을)를 받았을 때 숨기기 **등록** 클릭했을 때 시작 ▼ (을)를 방송하기 보이기 크기를 **20** % 로 정하기 모양을 동공 과 **1** 부터 **3** 사이의 난수 결합하기 (으)로 바꾸기 x: **-150** y: **-20** (으)로 가기
기출유형 파악하기 02-연습02	**인식영역** 정의하기 체크 만약 모양 번호 ▼ of 등록출입증 ▼ = **1** 라면 출입증**1** 만약 모양 번호 ▼ of 등록출입증 ▼ = **2** 라면 출입증**2** **등록출입증** 클릭했을 때 크기를 **20** % 로 정하기 모양을 출입증 과 **1** 부터 **2** 사이의 난수 결합하기 (으)로 바꾸기 x: **-150** y: **-20** (으)로 가기

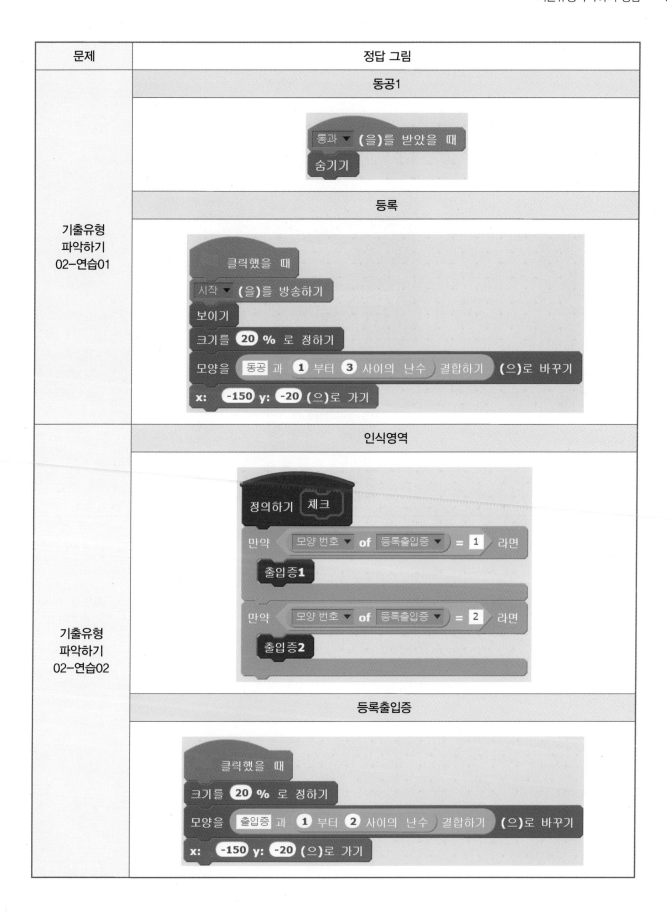

문제	정답 그림
기출유형 파악하기 02-연습03	인식영역 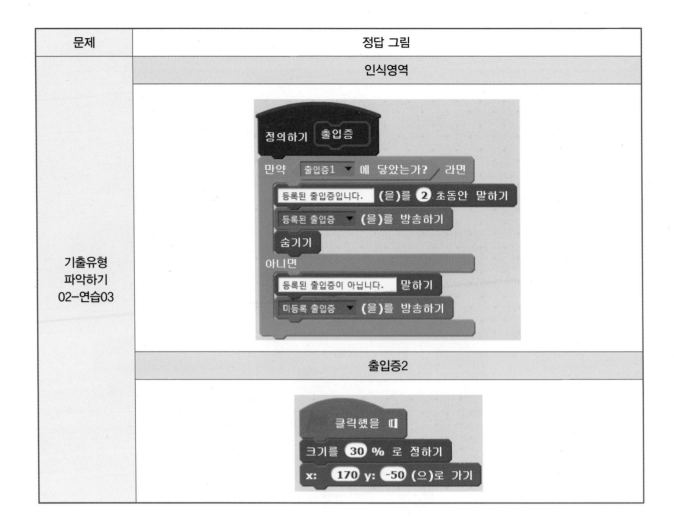 출입증2

기출유형파악하기 03

문제	정답 그림
기출유형 파악하기 03	여우 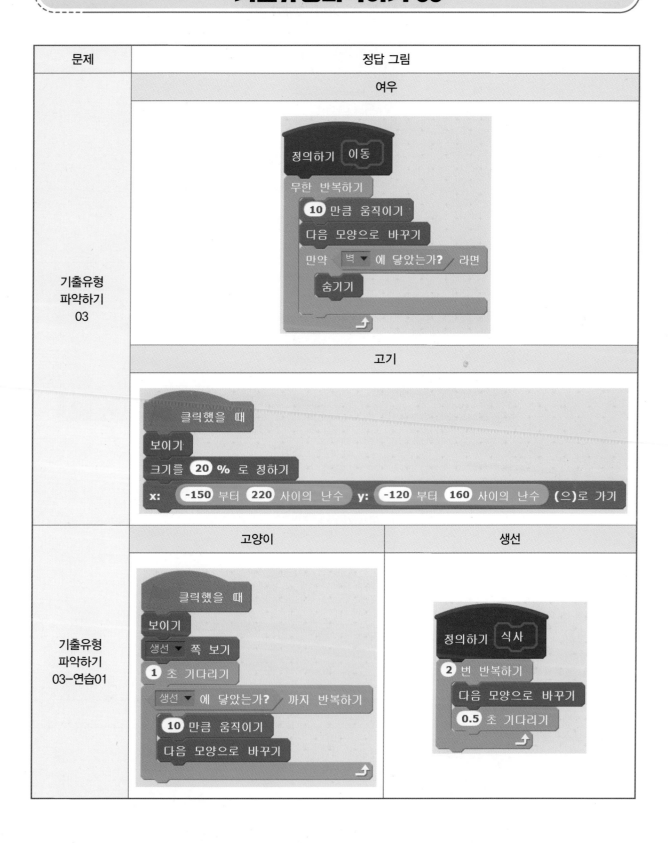고기
기출유형 파악하기 03-연습01	고양이 / 생선

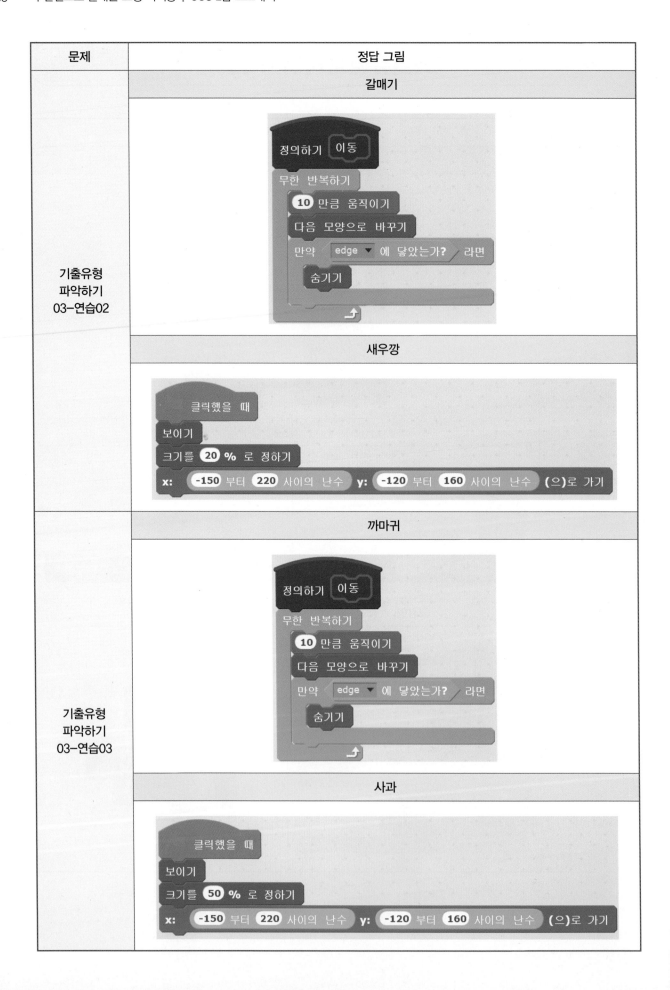

문제	정답 그림
기출유형 파악하기 03-연습02	**갈매기** 정의하기 이동 무한 반복하기 10 만큼 움직이기 다음 모양으로 바꾸기 만약 edge ▼ 에 닿았는가? 라면 숨기기 **새우깡** 클릭했을 때 보이기 크기를 20 % 로 정하기 x: -150 부터 220 사이의 난수 y: -120 부터 160 사이의 난수 (으)로 가기
기출유형 파악하기 03-연습03	**까마귀** 정의하기 이동 무한 반복하기 10 만큼 움직이기 다음 모양으로 바꾸기 만약 edge ▼ 에 닿았는가? 라면 숨기기 **사과** 클릭했을 때 보이기 크기를 50 % 로 정하기 x: -150 부터 220 사이의 난수 y: -120 부터 160 사이의 난수 (으)로 가기

기출유형파악하기 04

문제	정답 그림
기출유형 파악하기 04	**고양이** 정의하기 최댓값 검색 N▼ (을)를 **1** 로 정하기 최댓값▼ (을)를 (N 번째 리스트▼ 의 항목) 로 정하기 **10** 번 반복하기 　만약 (N 번째 리스트▼ 의 항목 > 최댓값) 라면 　　최댓값▼ (을)를 (N 번째 리스트▼ 의 항목) 로 정하기 　N▼ 를 **1** 만큼 바꾸기
기출유형 파악하기 04-연습01	**고양이** 정의하기 리스트생성 **10** 번 반복하기 　(**1** 부터 **100** 사이의 난수) 항목을 1▼ 에 추가하기 　(**1** 부터 **100** 사이의 난수) 항목을 2▼ 에 추가하기
기출유형 파악하기 04-연습02	**고양이** 정의하기 리스트생성 **15** 번 반복하기 　(**10** 부터 **300** 사이의 난수) 항목을 2월 미세먼지 농도▼ 에 추가하기
기출유형 파악하기 04-연습03	**고양이** 정의하기 계산 (N > (4월 평균 기온▼ 리스트의 크기)) 까지 반복하기 　합▼ 를 (N 번째 4월 평균 기온▼ 의 항목) 만큼 바꾸기 　N▼ 를 **1** 만큼 바꾸기 평균▼ (을)를 (합 / (4월 평균 기온▼ 리스트의 크기)) 로 정하기

기출유형파악하기 05

문제	정답 그림
기출유형 파악하기 05	고양이 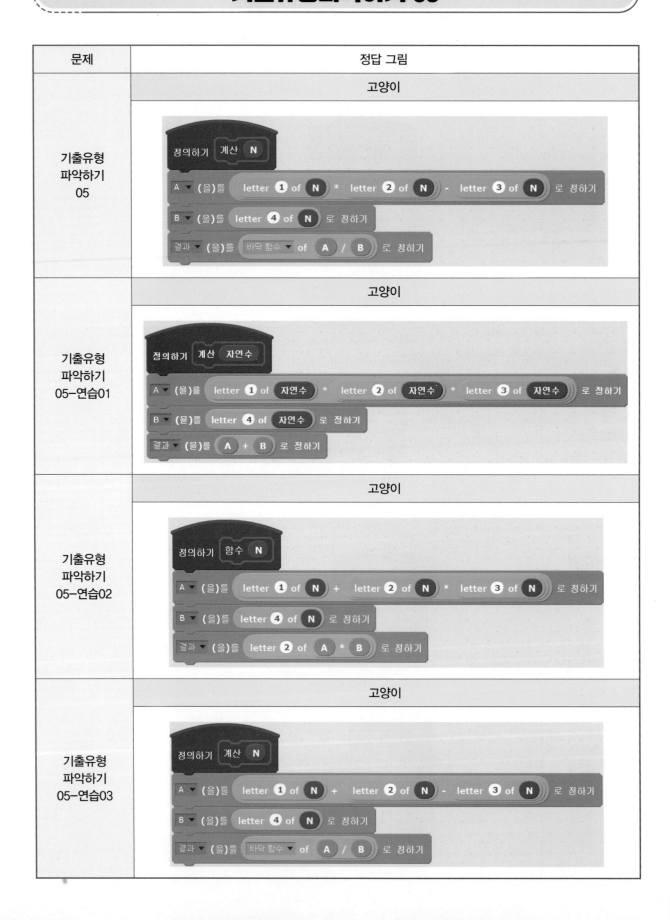
기출유형 파악하기 05-연습01	고양이
기출유형 파악하기 05-연습02	고양이
기출유형 파악하기 05-연습03	고양이

기출유형파악하기 06

문제	정답 그림
기출유형 파악하기 06	고양이 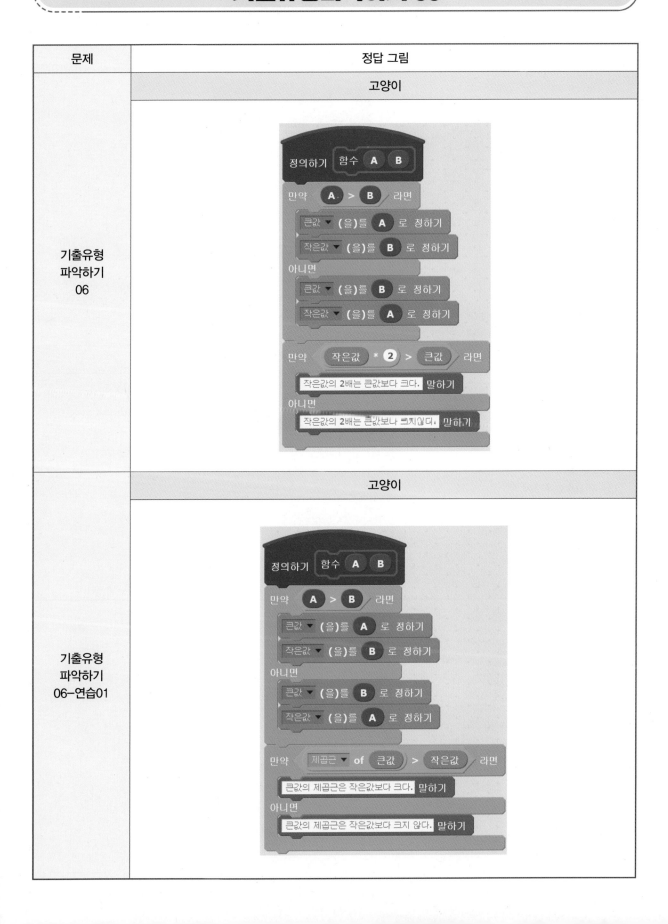
기출유형 파악하기 06-연습01	고양이

문제	정답 그림
	고양이
기출유형 파악하기 06-연습02	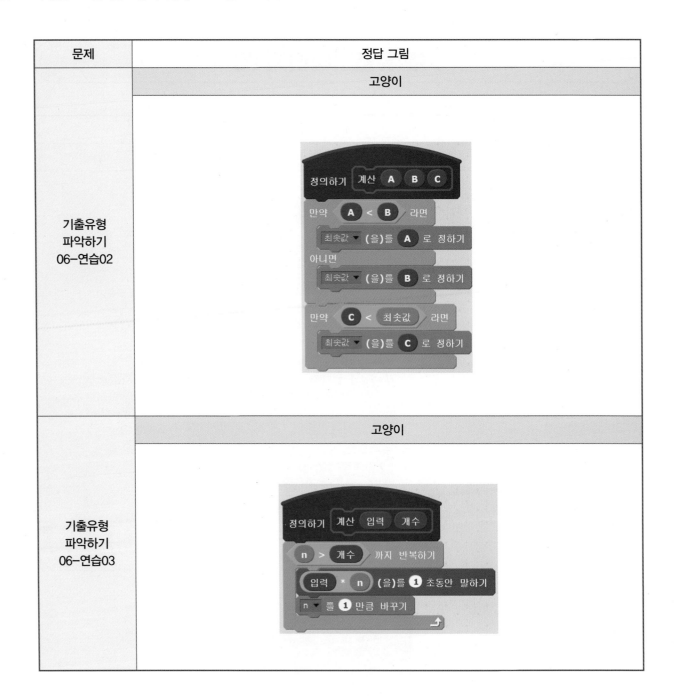
	고양이
기출유형 파악하기 06-연습03	

기출유형파악하기 07

문제	정답 그림

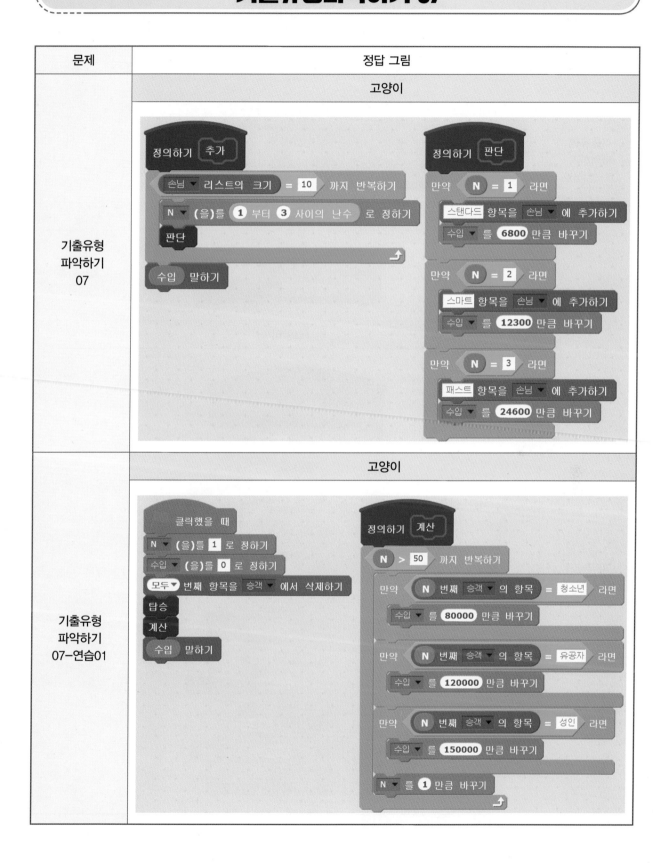

고양이

정의하기 추가
손님 ▼ 리스트의 크기 = 10 까지 반복하기
　N ▼ (을)를 1 부터 3 사이의 난수 로 정하기
　판단
수입 말하기

정의하기 판단
만약 N = 1 라면
　스탠다드 항목을 손님 ▼ 에 추가하기
　수입 ▼ 를 6800 만큼 바꾸기
만약 N = 2 라면
　스마트 항목을 손님 ▼ 에 추가하기
　수입 ▼ 를 12300 만큼 바꾸기
만약 N = 3 라면
　패스트 항목을 손님 ▼ 에 추가하기
　수입 ▼ 를 24600 만큼 바꾸기

고양이

클릭했을 때
N ▼ (을)를 1 로 정하기
수입 ▼ (을)를 0 로 정하기
모두 ▼ 번째 항목을 승객 ▼ 에서 삭제하기
탑승
계산
수입 말하기

정의하기 계산
N > 50 까지 반복하기
만약 (N 번째 승객 ▼ 의 항목) = 청소년 라면
　수입 ▼ 를 80000 만큼 바꾸기
만약 (N 번째 승객 ▼ 의 항목) = 유공자 라면
　수입 ▼ 를 120000 만큼 바꾸기
만약 (N 번째 승객 ▼ 의 항목) = 성인 라면
　수입 ▼ 를 150000 만큼 바꾸기
N ▼ 를 1 만큼 바꾸기

문제	정답 그림
기출유형 파악하기 07-연습02	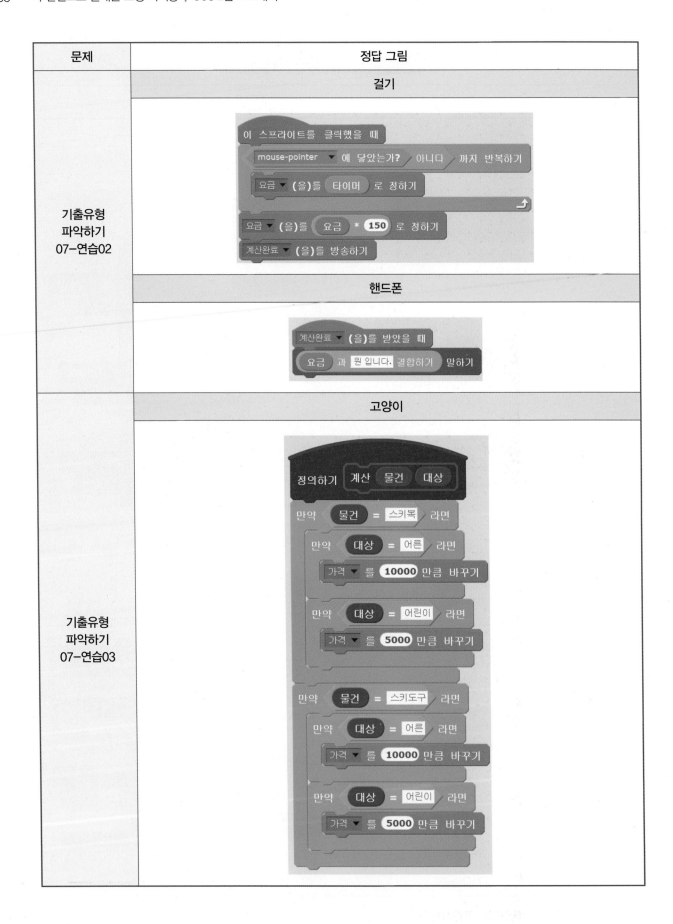
기출유형 파악하기 07-연습03	

기출유형파악하기 08

문제	정답 그림
기출유형 파악하기 08	풍선

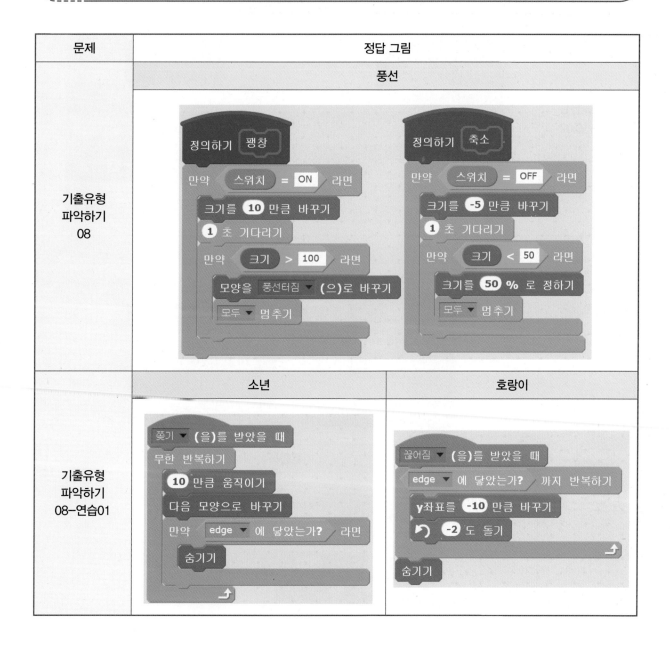

	소년	호랑이
기출유형 파악하기 08-연습01		

문제	정답 그림
기출유형 파악하기 08-연습02	**사용자** 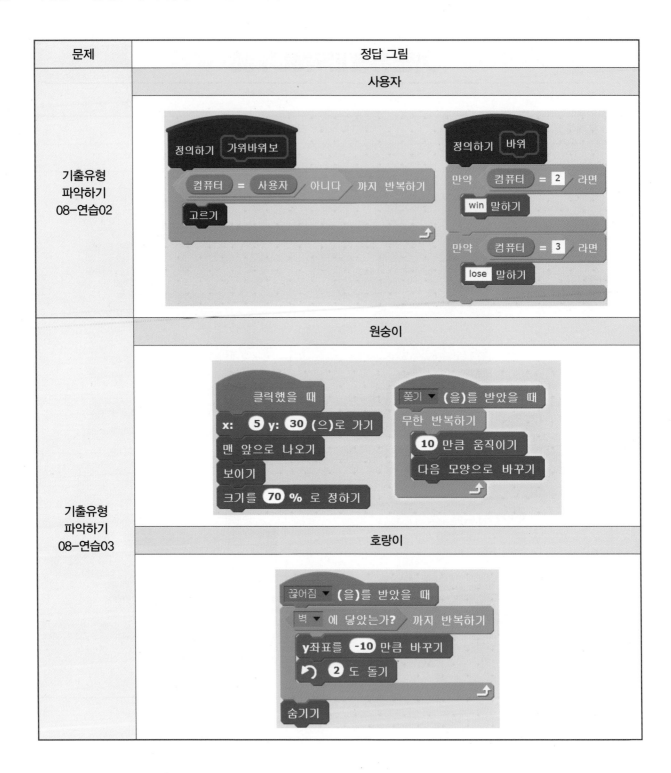
기출유형 파악하기 08-연습03	**원숭이** **호랑이**

기출유형파악하기 09

문제	정답 그림
	연필
기출유형 파악하기 09	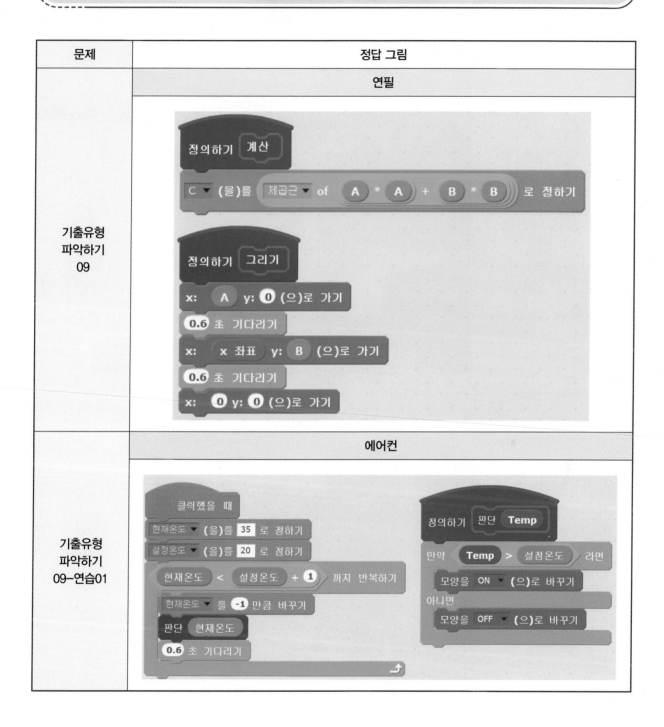
	에어컨
기출유형 파악하기 09-연습01	

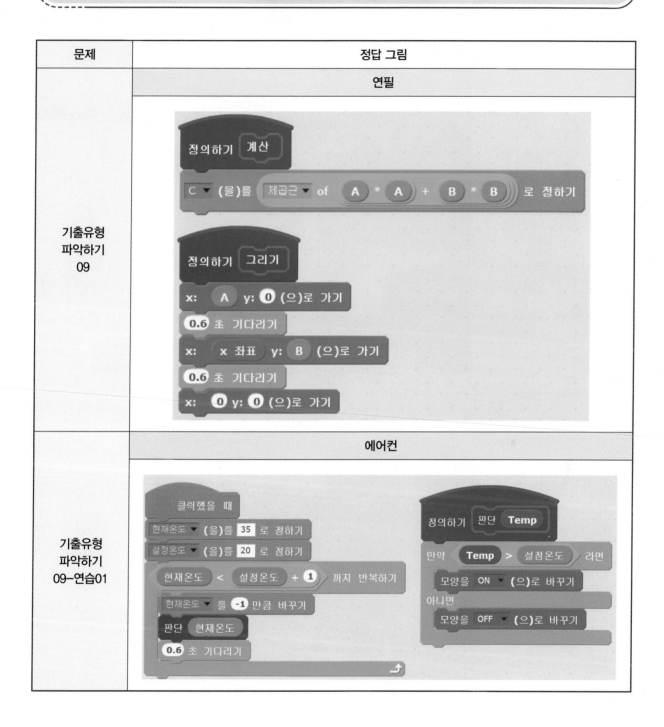

문제	정답 그림
	은행원
기출유형 파악하기 09–연습02	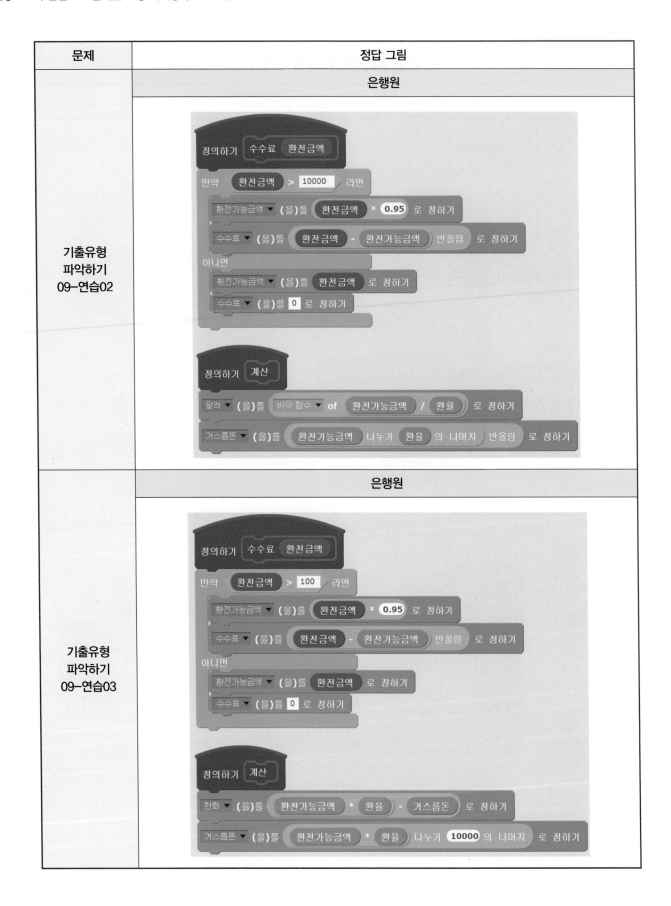
	은행원
기출유형 파악하기 09–연습03	

기출유형파악하기 10

문제	정답 그림
기출유형 파악하기 02	코코넛
기출유형 파악하기 01-연습01	접시

문제	정답 그림
	금속탐지기
기출유형 파악하기 01-연습02	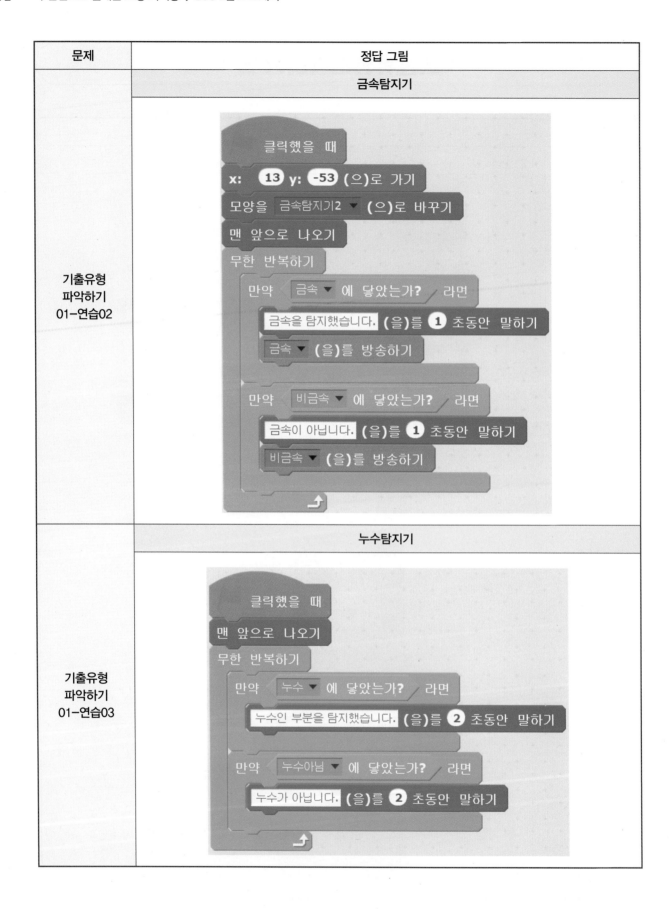
	누수탐지기
기출유형 파악하기 01-연습03	

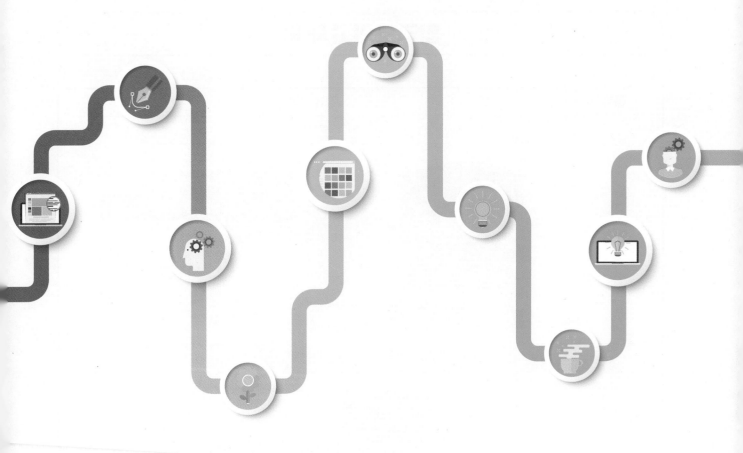

합격모의고사
정답

합격모의고사 01

문제	정답 그림
문제1	도깨비 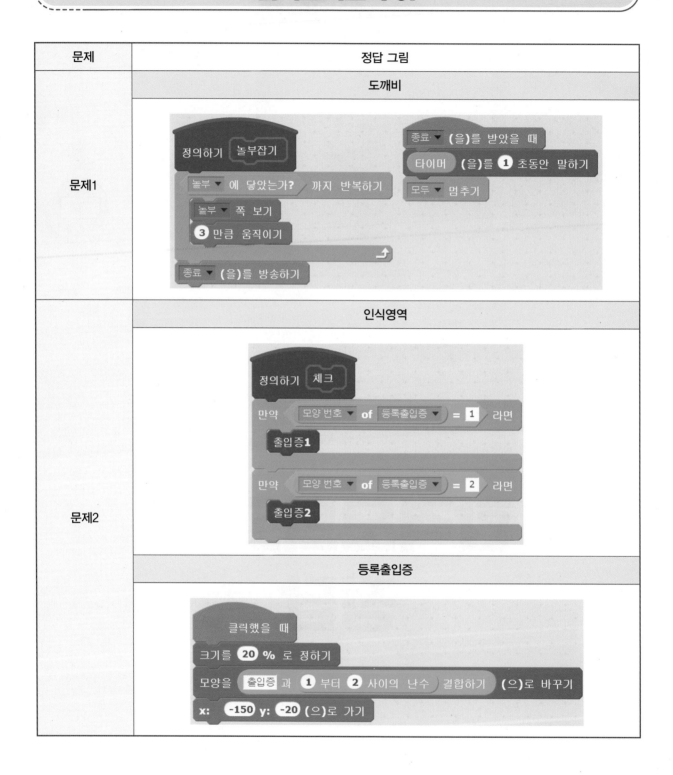
문제2	인식영역 등록출입증

문제	정답 그림
문제3	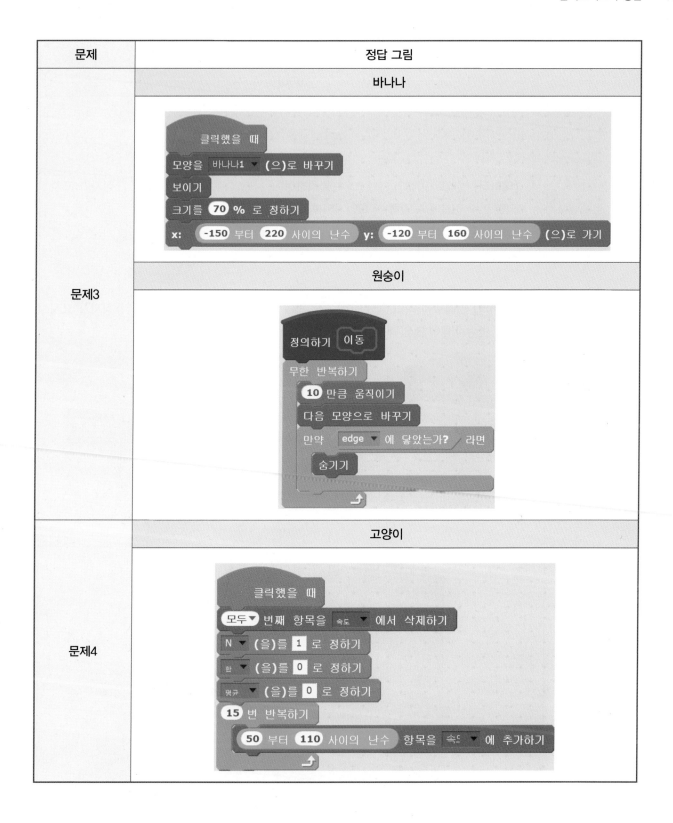
문제4	

바나나

클릭했을 때
모양을 바나나1 ▼ (으)로 바꾸기
보이기
크기를 70 % 로 정하기
x: -150 부터 220 사이의 난수 y: -120 부터 160 사이의 난수 (으)로 가기

원숭이

정의하기 이동
무한 반복하기
  10 만큼 움직이기
  다음 모양으로 바꾸기
  만약 edge ▼ 에 닿았는가? 라면
    숨기기

고양이

클릭했을 때
모두 ▼ 번째 항목을 속도 ▼ 에서 삭제하기
N ▼ (을)를 1 로 정하기
합 ▼ (을)를 0 로 정하기
평균 ▼ (을)를 0 로 정하기
15 번 반복하기
  50 부터 110 사이의 난수 항목을 속도 ▼ 에 추가하기

문제	정답 그림
문제5	**고양이** 1. **[데이터]** 팔레트 아래의 변수 만들기 클릭하여 상자가 표시 되면 변수 이름에 **A** 입력 → 확인 클릭합니다. 2. **[데이터]** 팔레트 아래의 변수 만들기 클릭하여 상자가 표시 되면 변수 이름에 **B** 입력 → 확인 클릭합니다. 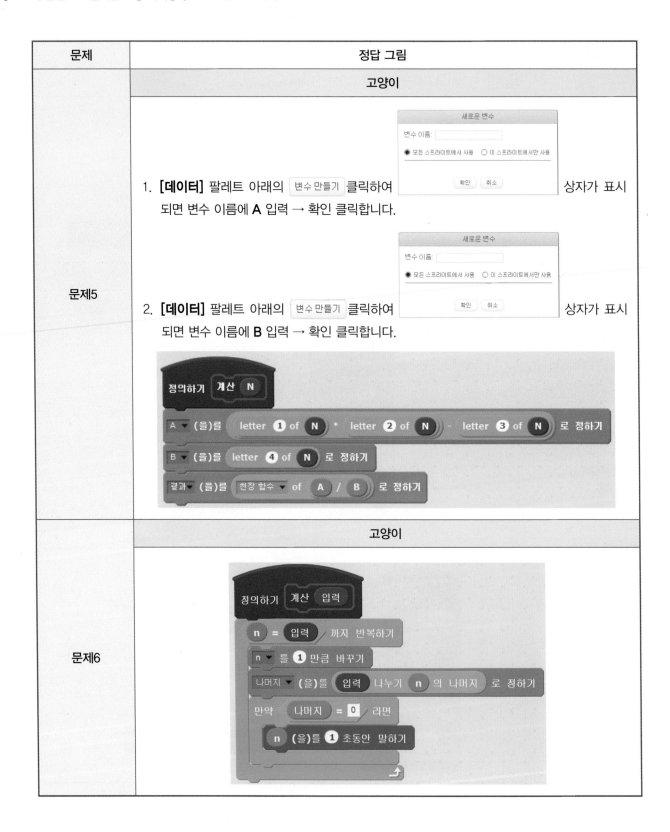
문제6	**고양이**

<table>
<tr><th>문제</th><th>정답 그림</th></tr>
<tr><td rowspan="2">문제7</td><td>고양이</td></tr>
<tr><td>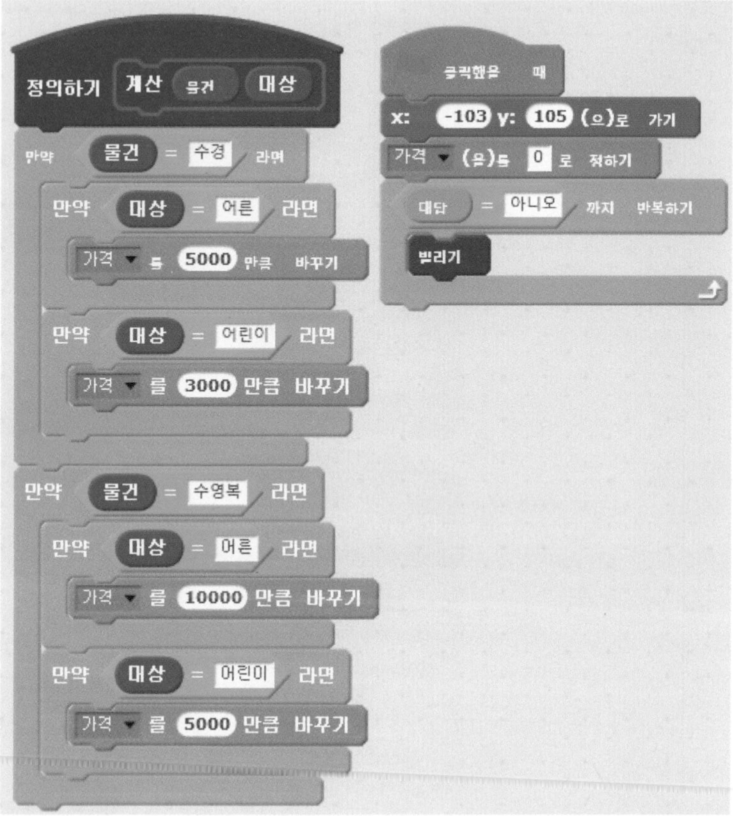
</td></tr>
<tr><td rowspan="2">문제8</td><td>쇠막대</td></tr>
<tr><td>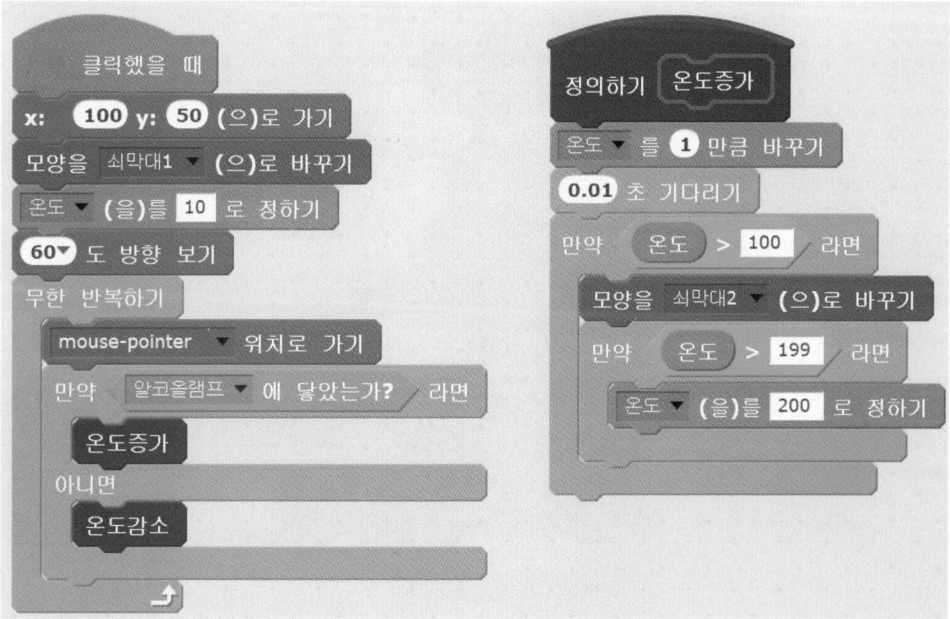
</td></tr>
</table>

문제	정답 그림
문제9	**보일러** 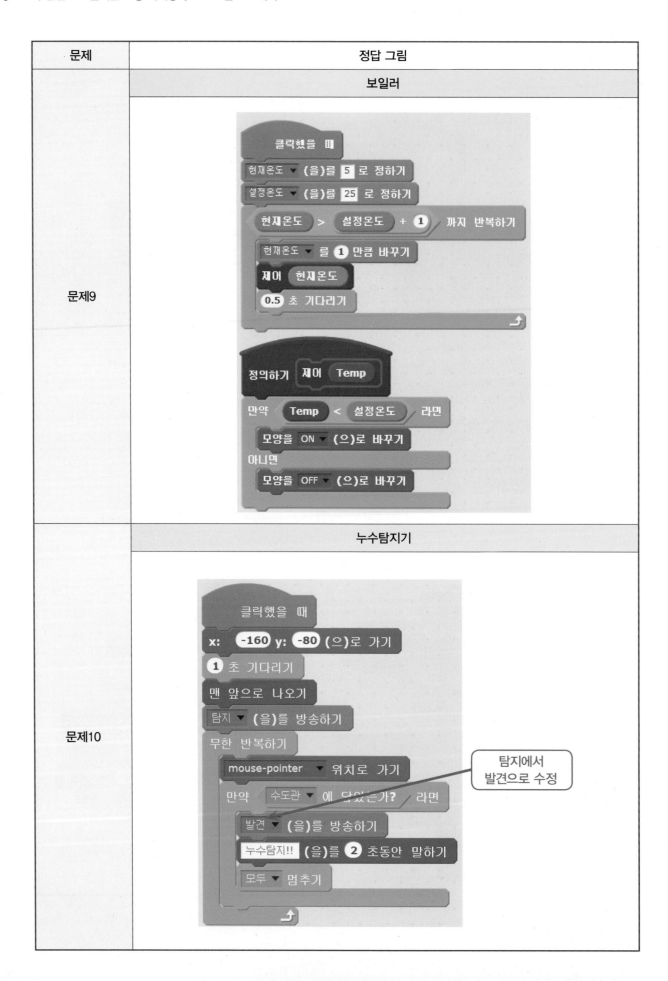
문제10	**누수탐지기**

합격모의고사 02

문제	정답 그림
문제1	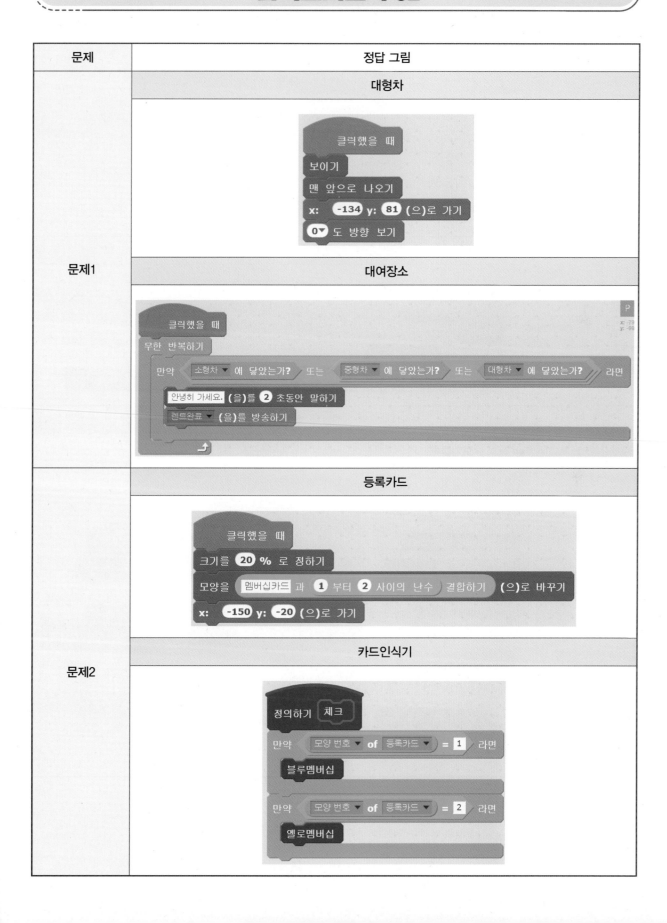
문제2	

문제	정답 그림
문제3	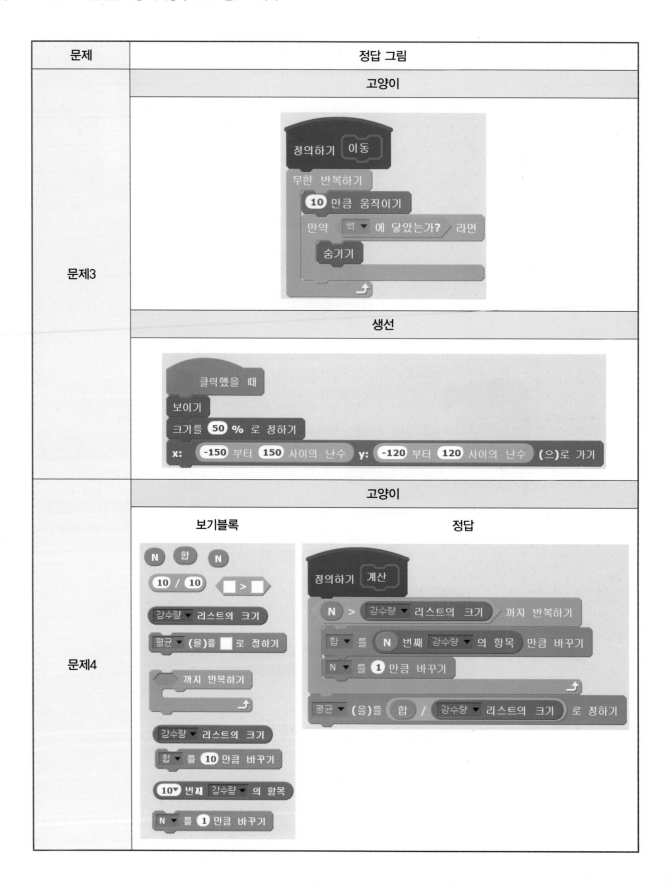
문제4	

문제	정답 그림
문제5	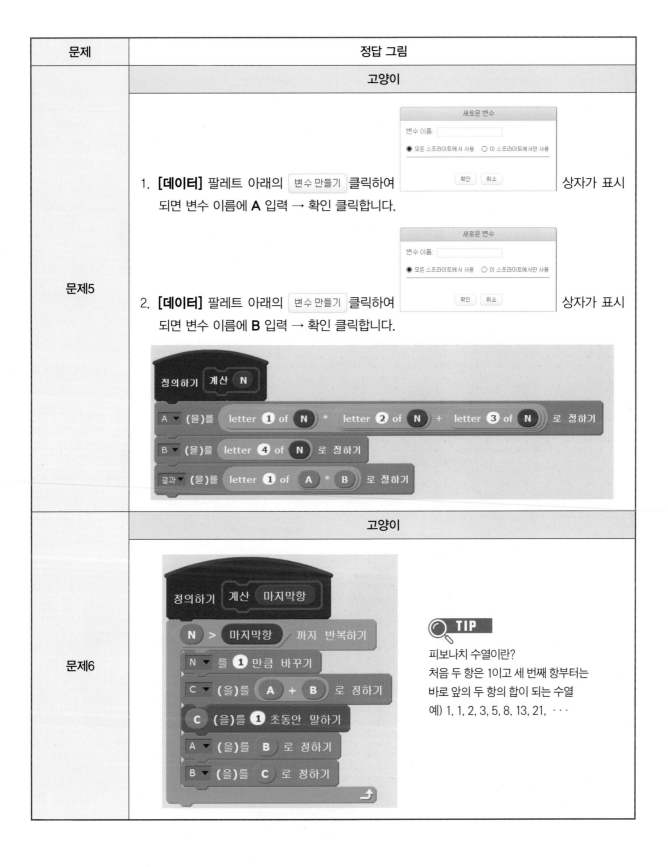
문제6	

고양이

1. **[데이터]** 팔레트 아래의 변수 만들기 클릭하여 상자가 표시 되면 변수 이름에 **A** 입력 → 확인 클릭합니다.

2. **[데이터]** 팔레트 아래의 변수 만들기 클릭하여 상자가 표시 되면 변수 이름에 **B** 입력 → 확인 클릭합니다.

고양이

TIP

피보나치 수열이란?
처음 두 항은 1이고 세 번째 항부터는
바로 앞의 두 항의 합이 되는 수열
예) 1, 1, 2, 3, 5, 8, 13, 21, …

문제	정답 그림
문제7	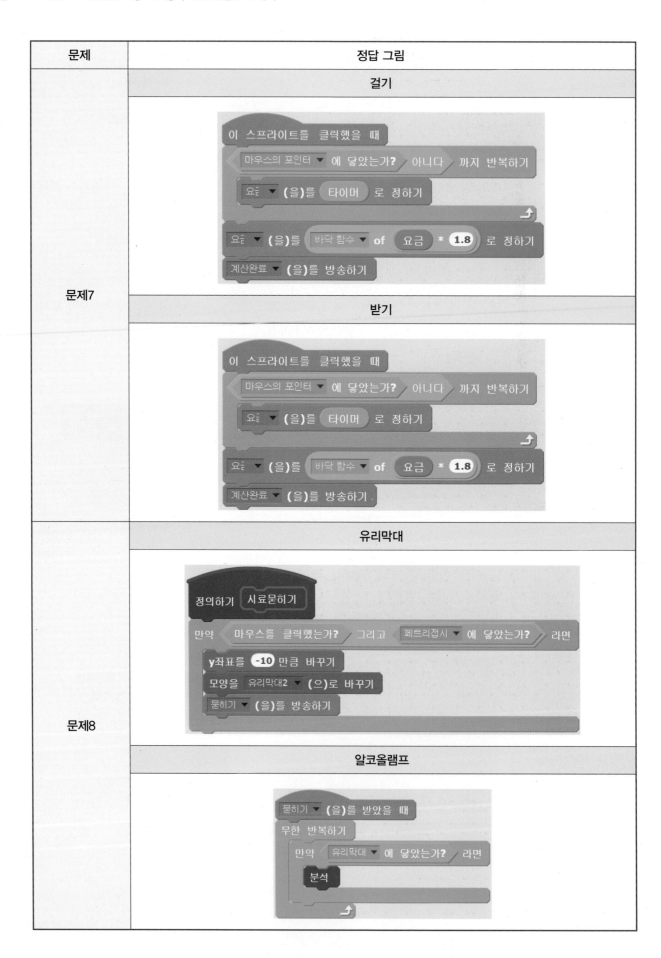
문제8	

걸기

이 스프라이트를 클릭했을 때
마우스의 포인터 ▼ 에 닿았는가? 아니다 까지 반복하기
요금 ▼ (을)를 타이머 로 정하기
요금 ▼ (을)를 바닥 함수 ▼ of 요금 * 1.8 로 정하기
계산완료 ▼ (을)를 방송하기

받기

이 스프라이트를 클릭했을 때
마우스의 포인터 ▼ 에 닿았는가? 아니다 까지 반복하기
요금 ▼ (을)를 타이머 로 정하기
요금 ▼ (을)를 바닥 함수 ▼ of 요금 * 1.8 로 정하기
계산완료 ▼ (을)를 방송하기

유리막대

정의하기 시료묻히기
만약 마우스를 클릭했는가? 그리고 페트리접시 ▼ 에 닿았는가? 라면
y좌표를 -10 만큼 바꾸기
모양을 유리막대2 ▼ (으)로 바꾸기
묻히기 ▼ (을)를 방송하기

알코올램프

묻히기 ▼ (을)를 받았을 때
무한 반복하기
만약 유리막대 ▼ 에 닿았는가? 라면
분석

문제	정답 그림
문제9	은행원 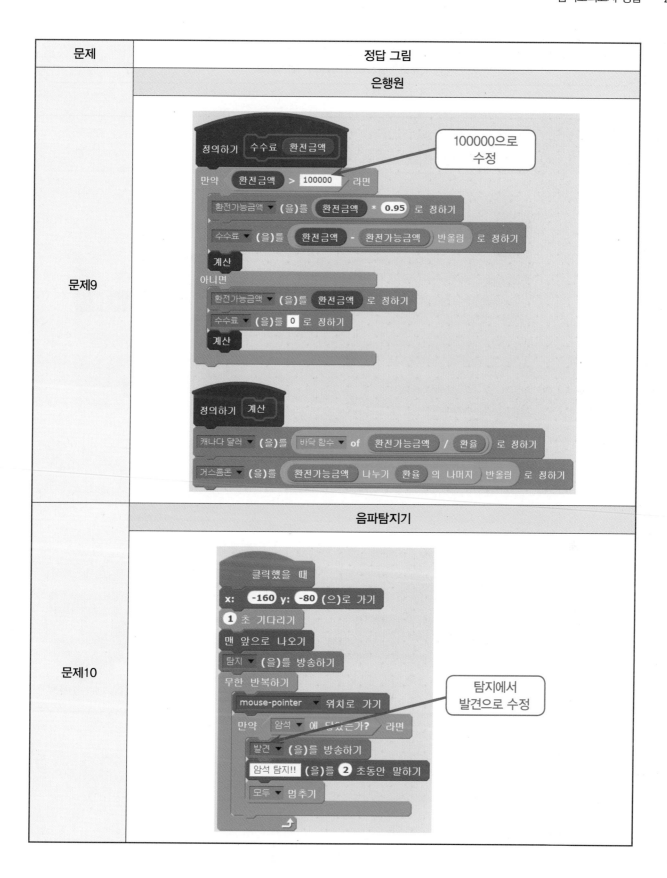
문제10	음파탐지기

합격모의고사 03

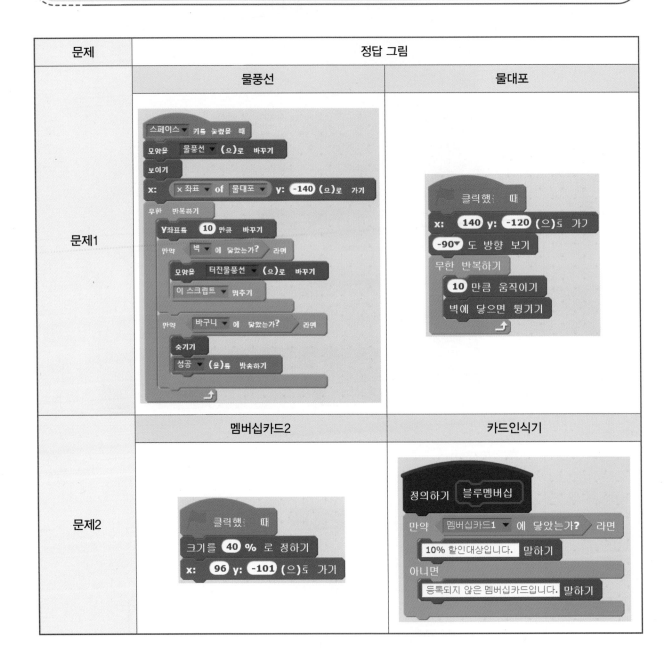

문제	정답 그림	
문제1	물풍선	물대포
문제2	멤버십카드2	카드인식기

문제	정답 그림
	갈매기
문제3	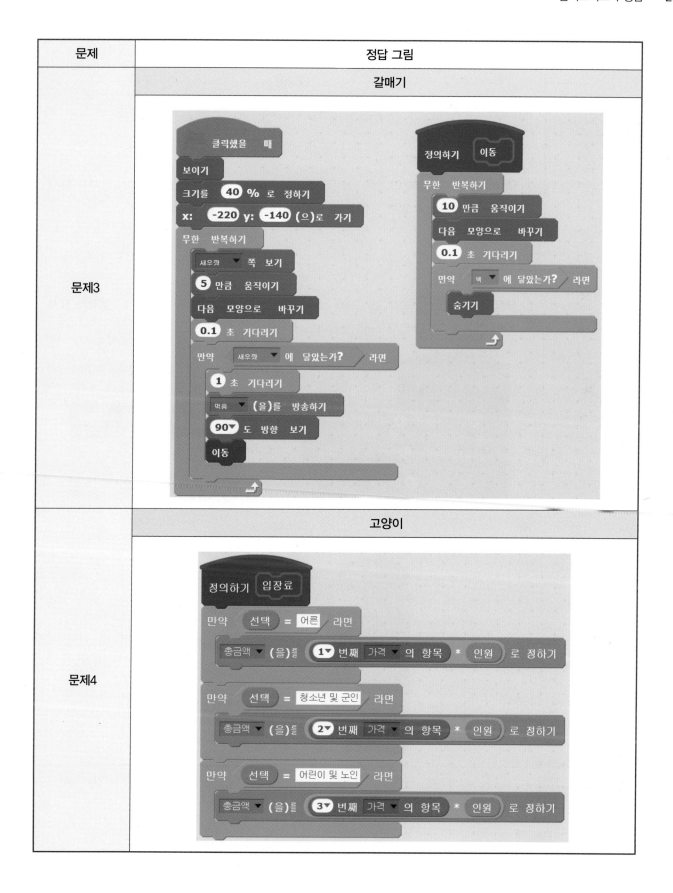
	고양이
문제4	

문제	정답 그림
문제5	**고양이** 1. **[데이터]** 팔레트 아래의 변수 만들기 클릭하여 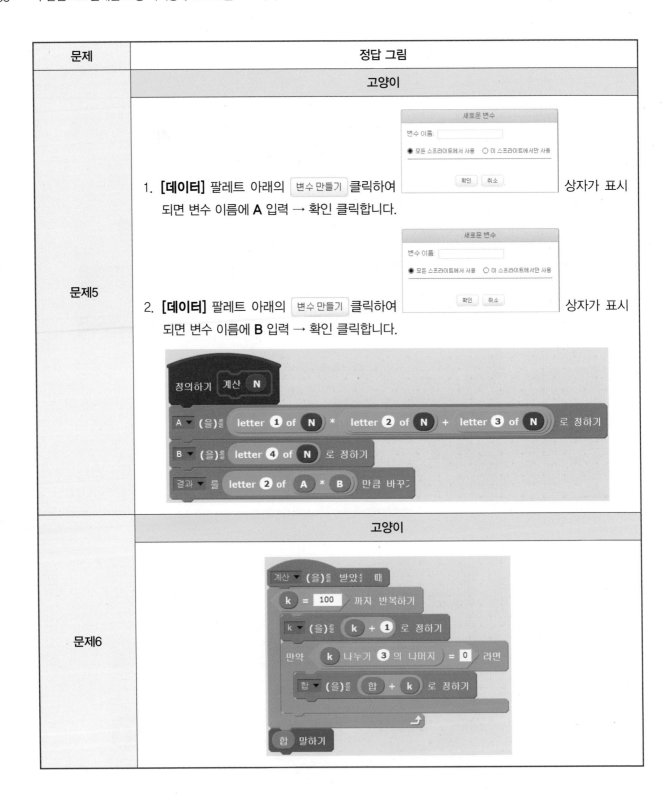 상자가 표시 되면 변수 이름에 **A** 입력 → 확인 클릭합니다. 2. **[데이터]** 팔레트 아래의 변수 만들기 클릭하여 상자가 표시 되면 변수 이름에 **B** 입력 → 확인 클릭합니다.
문제6	**고양이**

문제	정답 그림
문제7	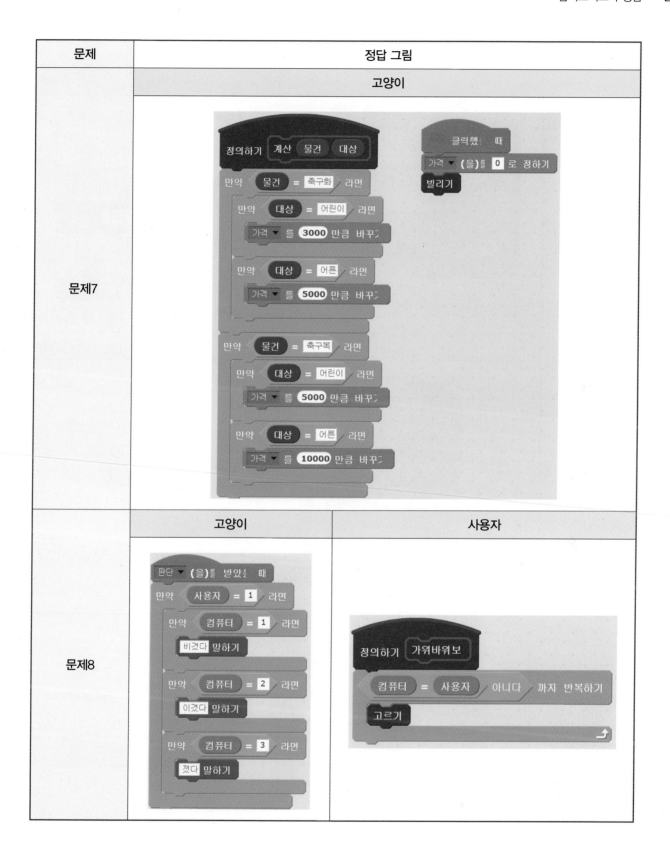

고양이

정의하기 계산 물건 대상

만약 물건 = 축구화 라면
　만약 대상 = 어린이 라면
　　가격 ▼ 를 3000 만큼 바꾸기
　만약 대상 = 어른 라면
　　가격 ▼ 를 5000 만큼 바꾸기
만약 물건 = 축구복 라면
　만약 대상 = 어린이 라면
　　가격 ▼ 를 5000 만큼 바꾸기
　만약 대상 = 어른 라면
　　가격 ▼ 를 10000 만큼 바꾸기

클릭했을 때
가격 ▼ (을)를 0 로 정하기
빌리기

문제8

고양이

판단 ▼ (을)를 받았을 때
만약 사용자 = 1 라면
　만약 컴퓨터 = 1 라면
　　비겼다 말하기
　만약 컴퓨터 = 2 라면
　　이겼다 말하기
　만약 컴퓨터 = 3 라면
　　졌다 말하기

사용자

정의하기 가위바위보
컴퓨터 = 사용자 아니다 까지 반복하기
고르기

문제	정답 그림
문제9	스킨스쿠버 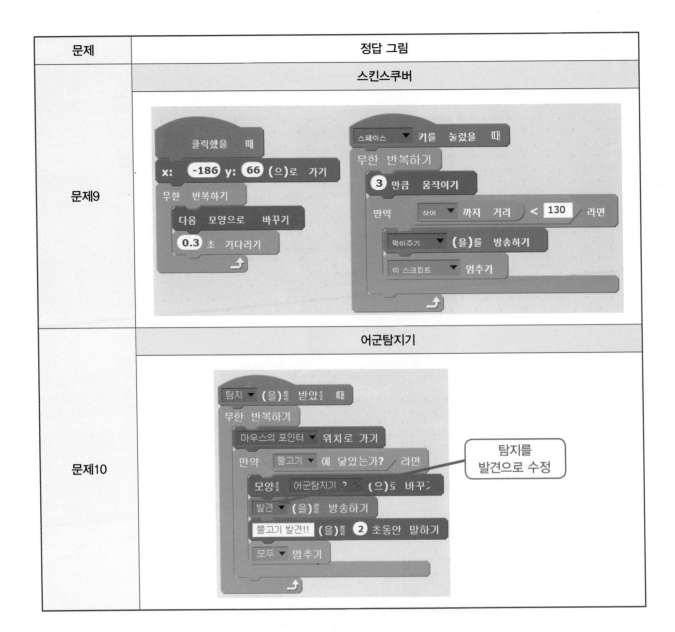
문제10	어군탐지기

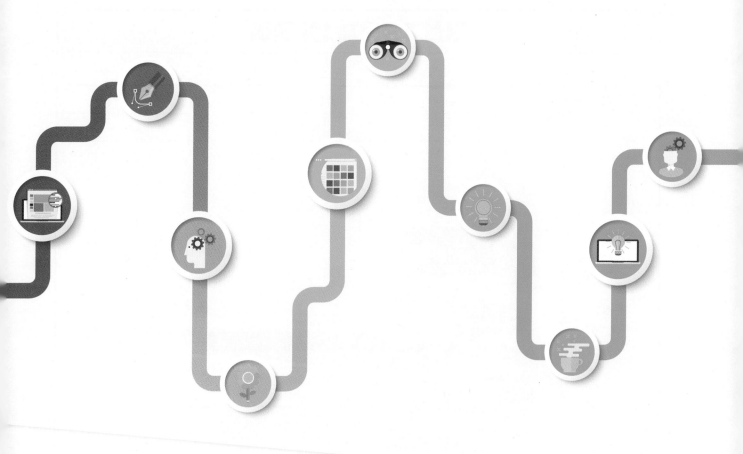

최신기출문제
정답

최신기출문제 1회 풀이

문제	정답 및 풀이
문제1	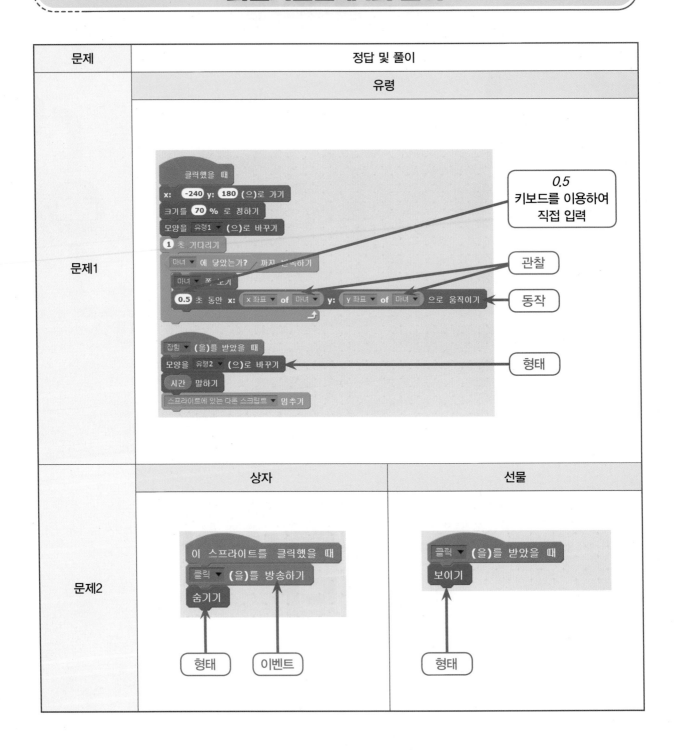
문제2	

문제	정답 및 풀이
	야구공
문제3	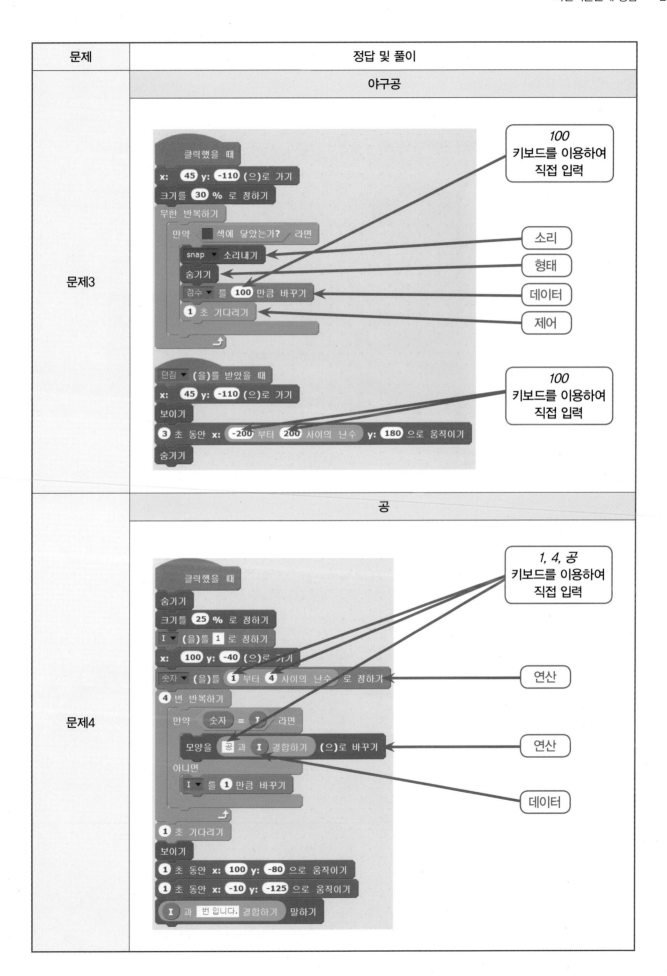
	공
문제4	

문제	정답 및 풀이
문제5	**고양이** 보기블록에 주어진 블록을 이용하여 아래와 같이 작성합니다. 작성한 블록은 왼쪽 마우스를 누르면서 **고양이** 스프라이트로 드래그하면 복사됩니다. 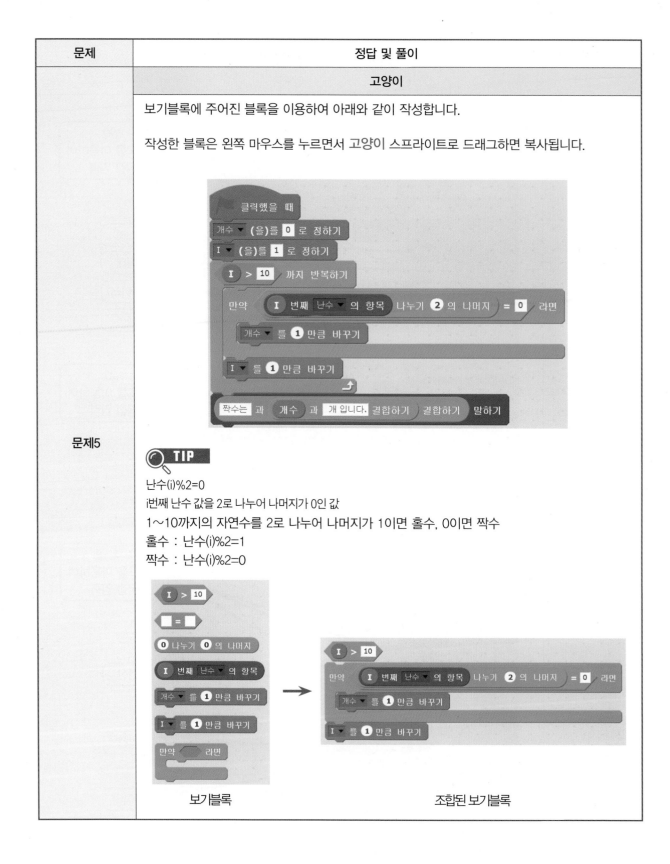

문제	정답 및 풀이
문제6	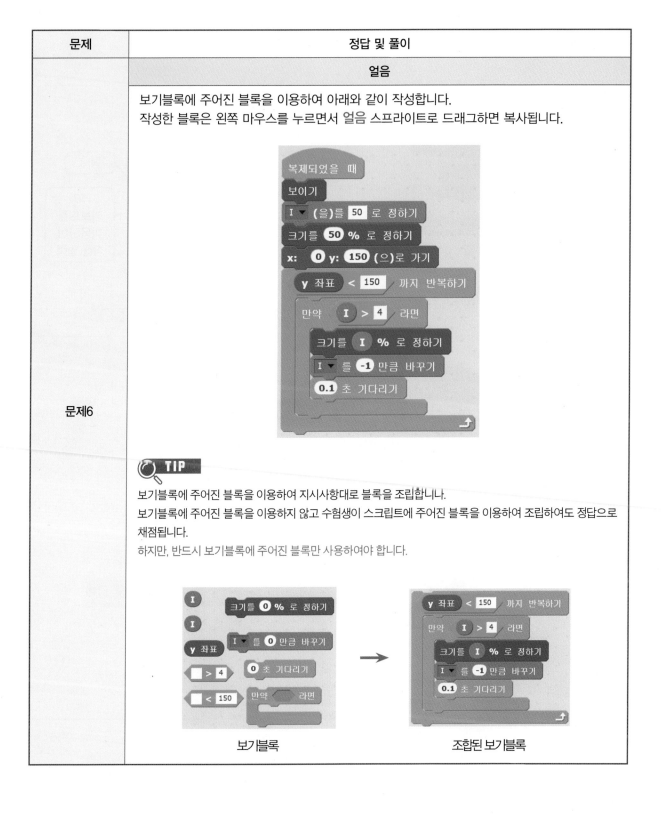

얼음

보기블록에 주어진 블록을 이용하여 아래와 같이 작성합니다.
작성한 블록은 왼쪽 마우스를 누르면서 얼음 스프라이트로 드래그하면 복사됩니다.

TIP

보기블록에 주어진 블록을 이용하여 지시사항대로 블록을 조립합니다.
보기블록에 주어진 블록을 이용하지 않고 수험생이 스크립트에 주어진 블록을 이용하여 조립하여도 정답으로 채점됩니다.
하지만, 반드시 보기블록에 주어진 블록만 사용하여야 합니다.

보기블록   조합된 보기블록

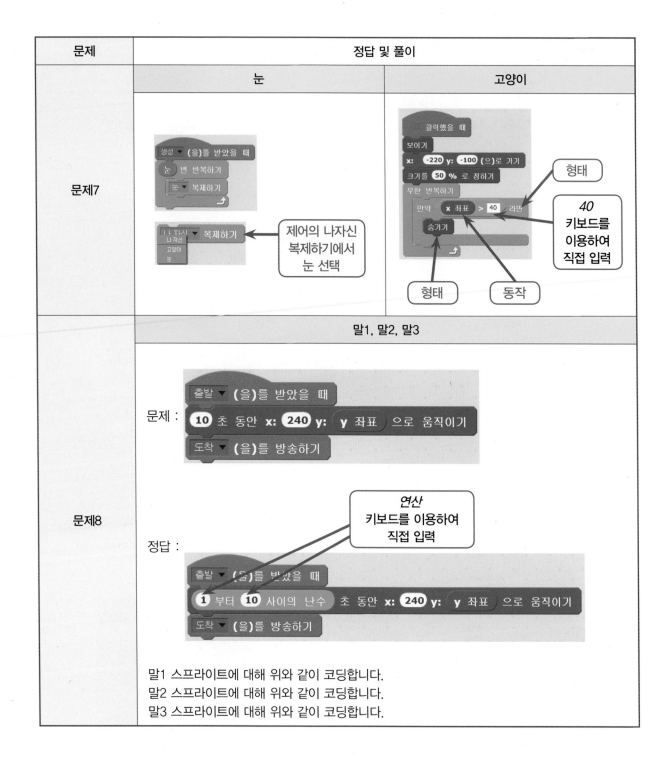

문제	정답 및 풀이

문제7

눈

생성 ▼ (을)를 받았을 때
눈 번 반복하기
눈 ▼ 복제하기

나 자신 ▼ 복제하기
나 자신
고양이
눈

← 제어의 나자신 복제하기에서 눈 선택

고양이

클릭했을 때
보이기
x: -220 y: -100 (으)로 가기
크기를 50 % 로 정하기
무한 반복하기
　만약 x 좌표 > 40 라면
　　숨기기

형태

40
키보드를 이용하여 직접 입력

형태　　동작

문제8

말1, 말2, 말3

문제 :

출발 ▼ (을)를 받았을 때
10 초 동안 x: 240 y: y 좌표 으로 움직이기
도착 ▼ (을)를 방송하기

연산
키보드 이용하여 직접 입력

정답 :

출발 ▼ (을)를 받았을 때
1 부터 10 사이의 난수 초 동안 x: 240 y: y 좌표 으로 움직이기
도착 ▼ (을)를 방송하기

말1 스프라이트에 대해 위와 같이 코딩합니다.
말2 스프라이트에 대해 위와 같이 코딩합니다.
말3 스프라이트에 대해 위와 같이 코딩합니다.

문제	정답 및 풀이
	무대
문제9	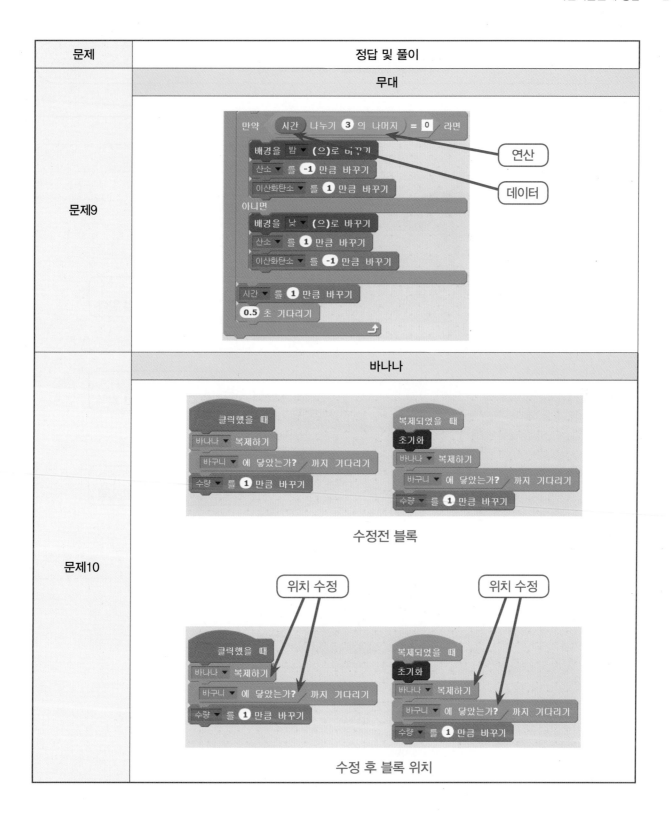
	바나나
문제10	

수정전 블록

위치 수정   위치 수정

수정 후 블록 위치

최신기출문제 2회 풀이

문제	답안 및 풀이
문제1	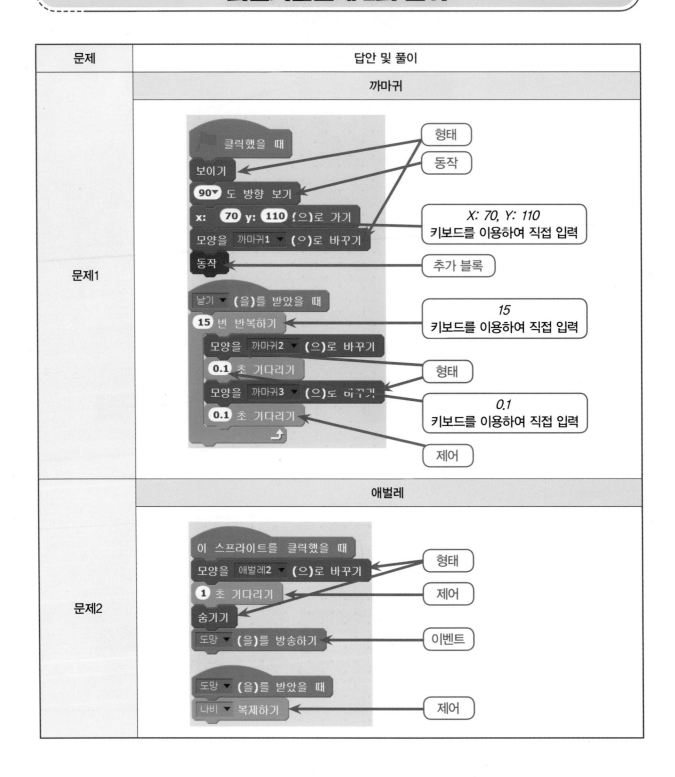
문제2	

문제	답안 및 풀이
문제3	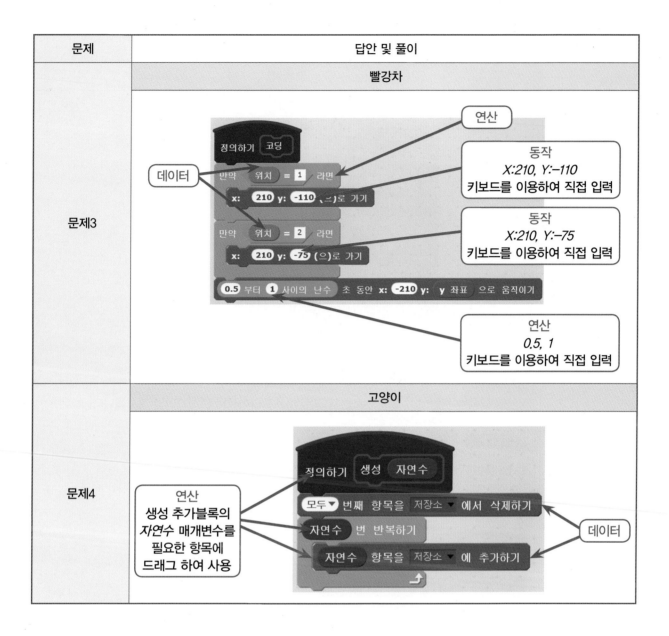
문제4	

문제	답안 및 풀이
문제6	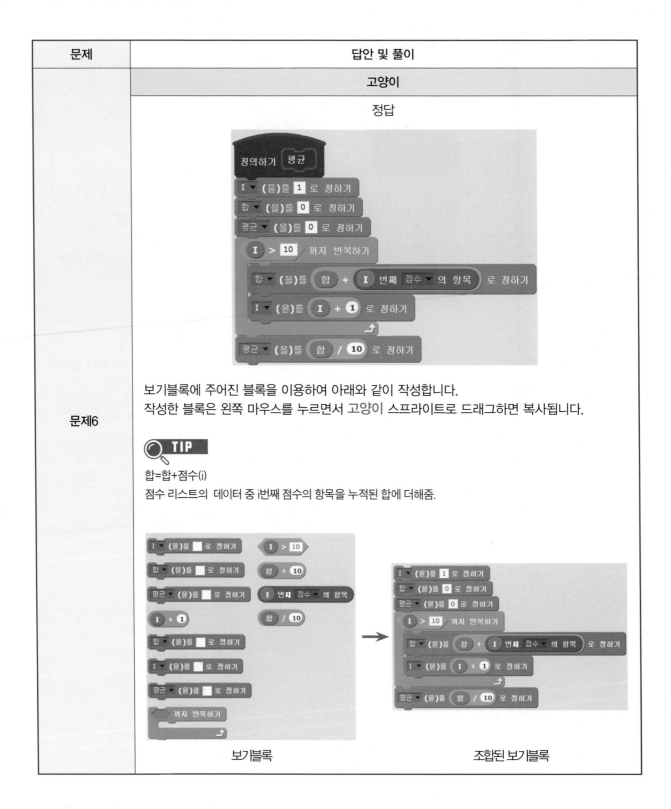

문제	답안 및 풀이
문제6	**게이지** 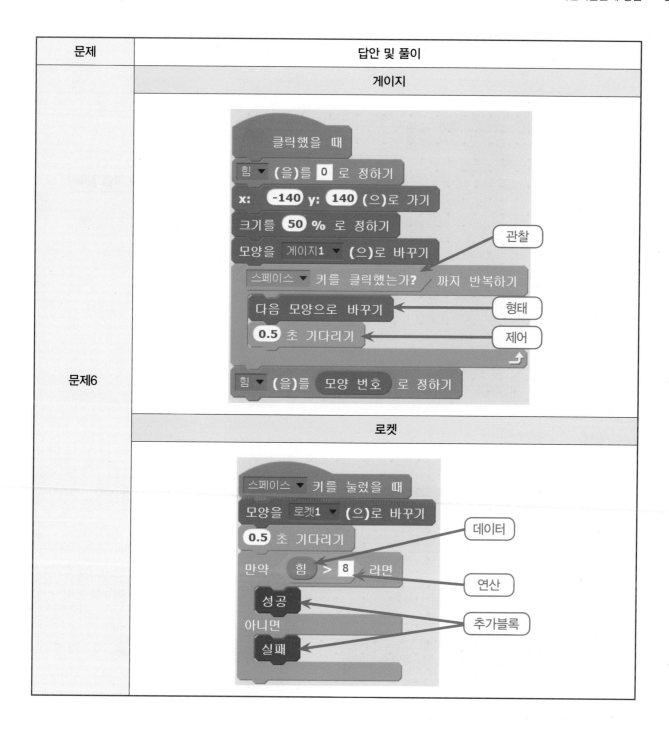 **로켓**

문제	답안 및 풀이
문제7	**잠수부** 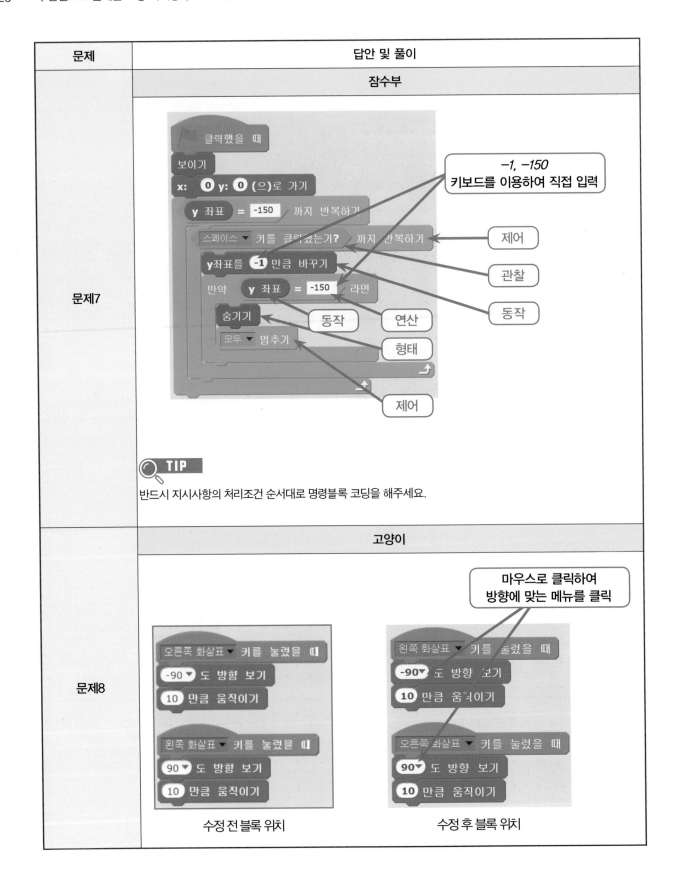 **TIP** 반드시 지시사항의 처리조건 순서대로 명령블록 코딩을 해주세요.

문제	답안 및 풀이
	구렁이
문제9	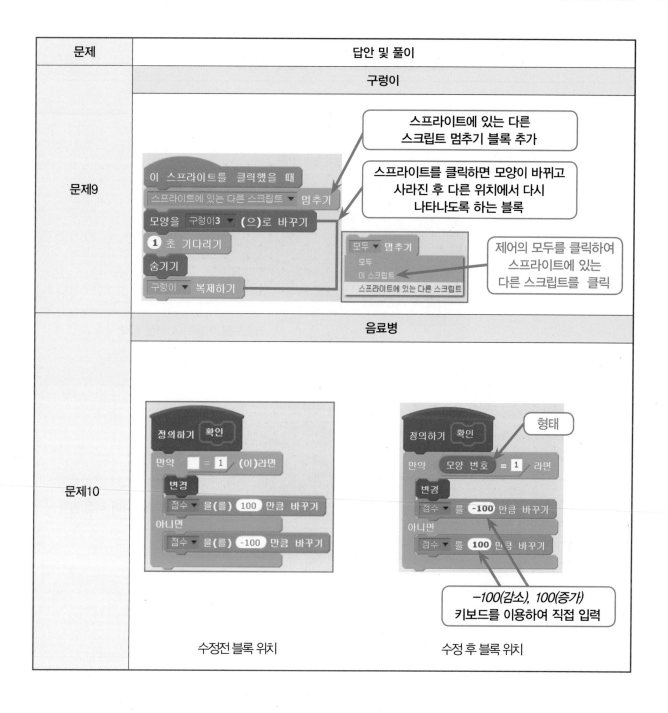
	음료병
문제10	

최신기출문제 3회 풀이

문제	답안 및 풀이
문제1	바람 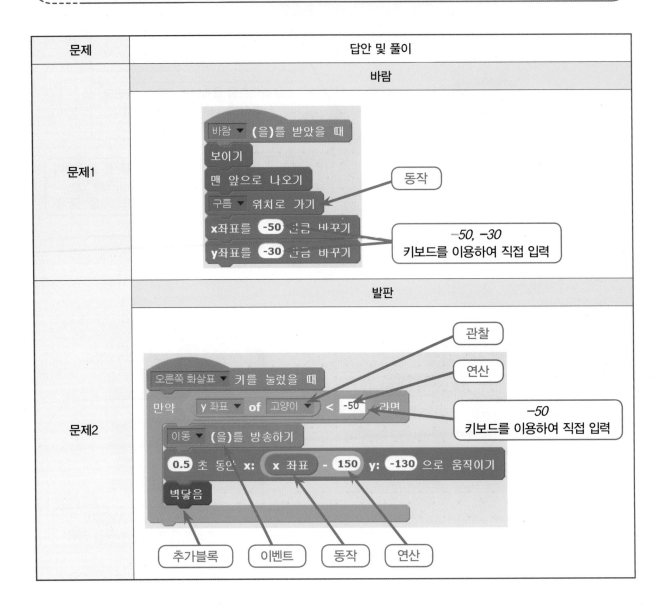
문제2	발판

문제	답안 및 풀이
	두더지
문제3	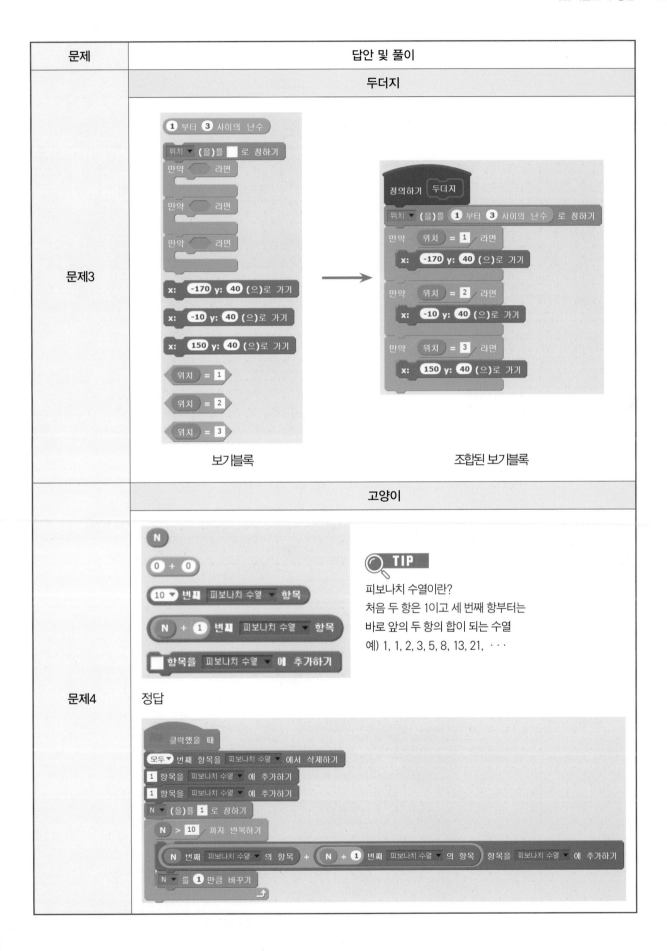
보기블록   조합된 보기블록
	고양이
문제4	

문제	답안 및 풀이
문제5	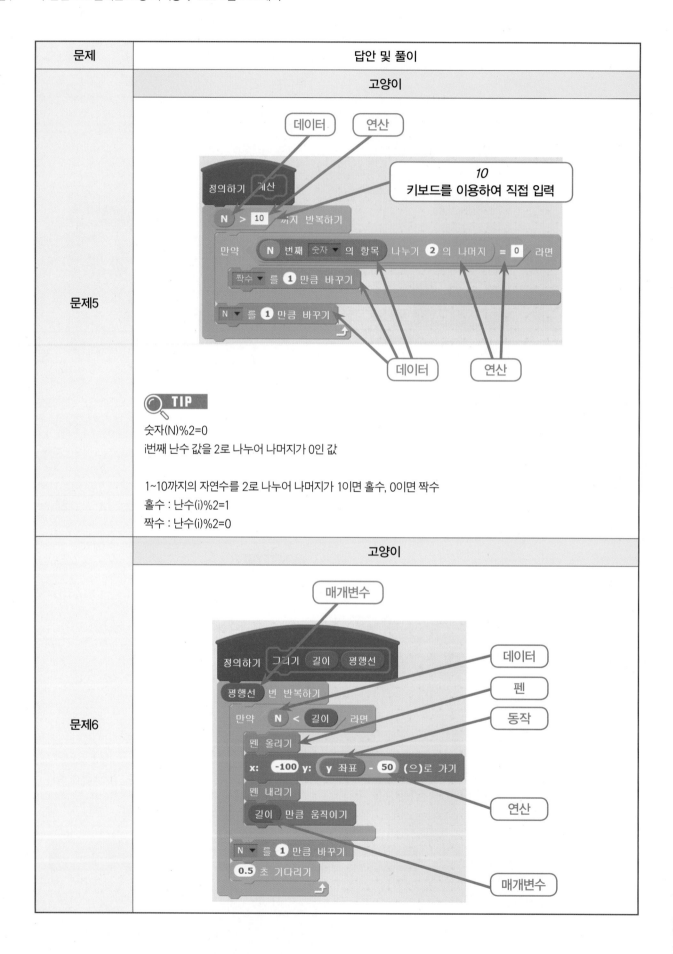

고양이

데이터   연산

10
키보드를 이용하여 직접 입력

정의하기 계산

N > 10 까지 반복하기

만약 N 번째 숫자▼ 의 항목 나누기 ② 의 나머지 = 0 라면

짝수▼ 를 ① 만큼 바꾸기

N▼ 를 ① 만큼 바꾸기

데이터   연산

🔍 **TIP**

숫자(N)%2=0
i번째 난수 값을 2로 나누어 나머지가 0인 값

1~10까지의 자연수를 2로 나누어 나머지가 1이면 홀수, 0이면 짝수
홀수 : 난수(i)%2=1
짝수 : 난수(i)%2=0

고양이

매개변수

데이터
펜
동작

정의하기 그리기 길이 평행선

평행선 번 반복하기

만약 N < 길이 라면

펜 올리기

x: -100 y: y 좌표 - 50 (으)로 가기

펜 내리기

길이 만큼 움직이기   연산

N▼ 를 ① 만큼 바꾸기

0.5 초 기다리기

매개변수

문제	답안 및 풀이
	백기
문제7	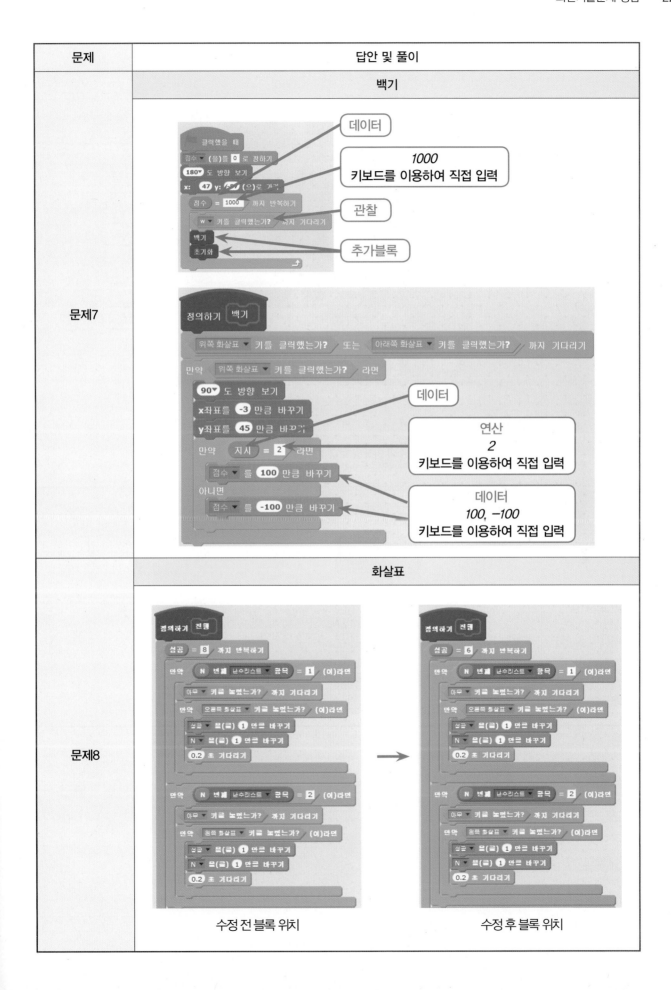
	화살표
문제8	수정 전 블록 위치 → 수정 후 블록 위치

문제	답안 및 풀이
문제9	고양이 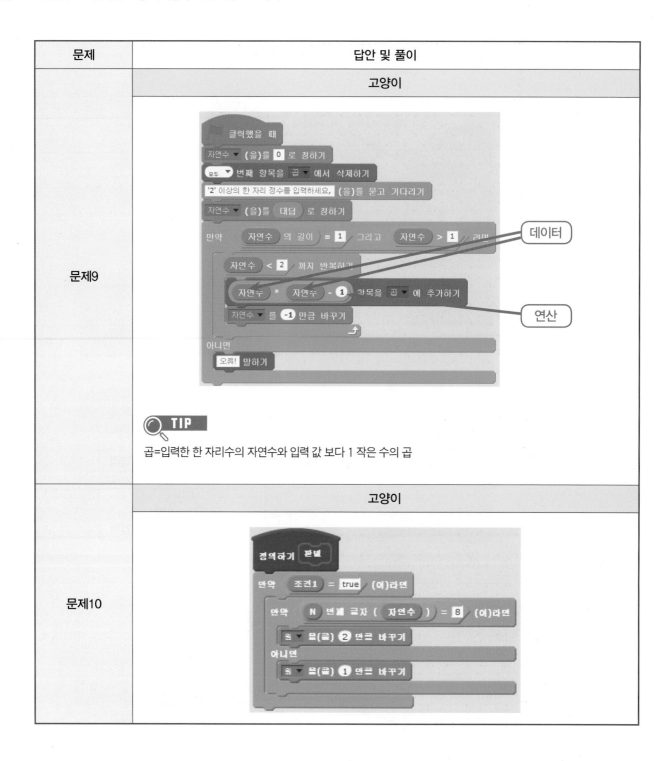 **TIP** 곱=입력한 한 자리수의 자연수와 입력 값 보다 1 작은 수의 곱
문제10	고양이

최신기출문제 4회 풀이

문제	답안 및 풀이

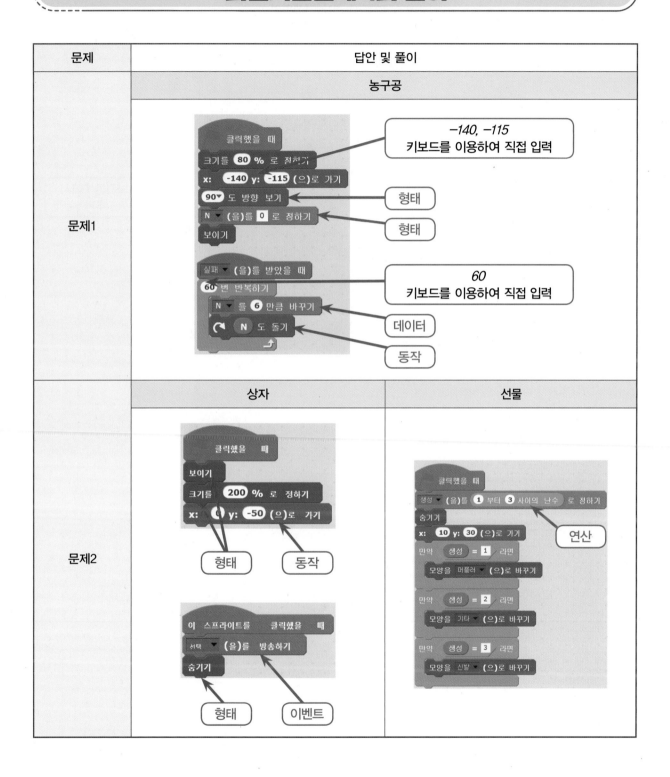

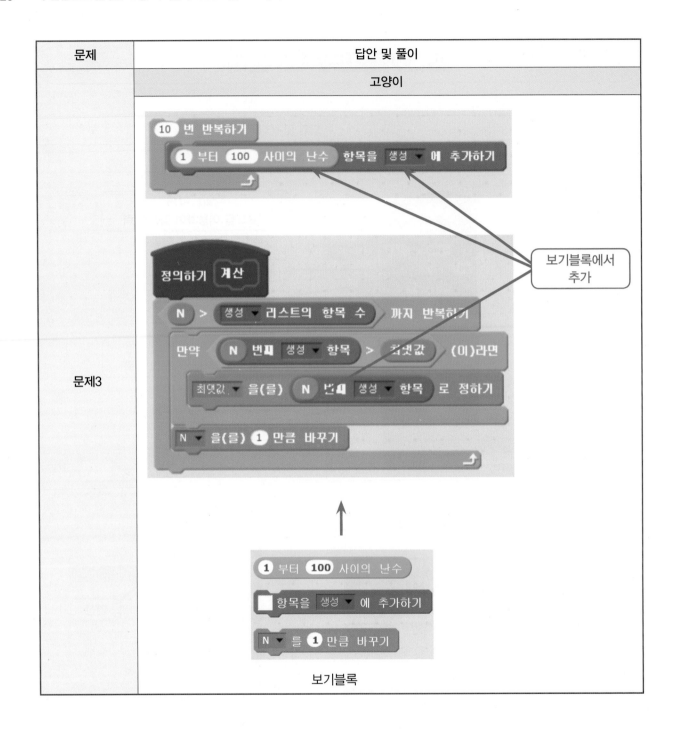

문제	답안 및 풀이
문제3	고양이

보기블록

<table>
<tr><th>문제</th><th>답안 및 풀이</th></tr>
<tr><td rowspan="2">문제4</td><td>고양이</td></tr>
<tr><td>
정답

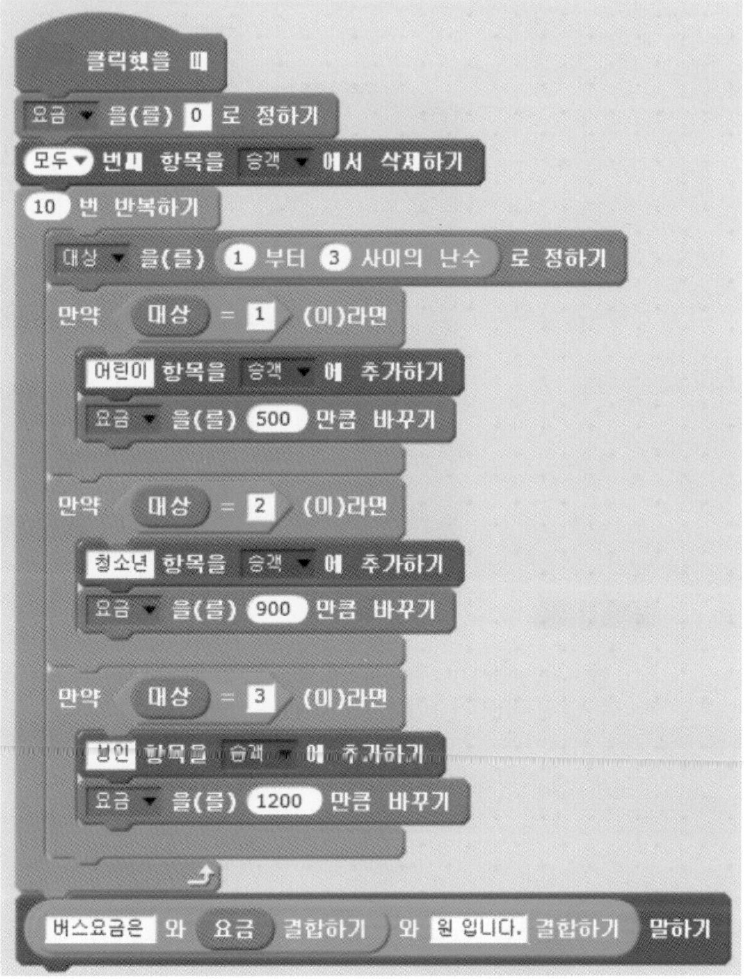

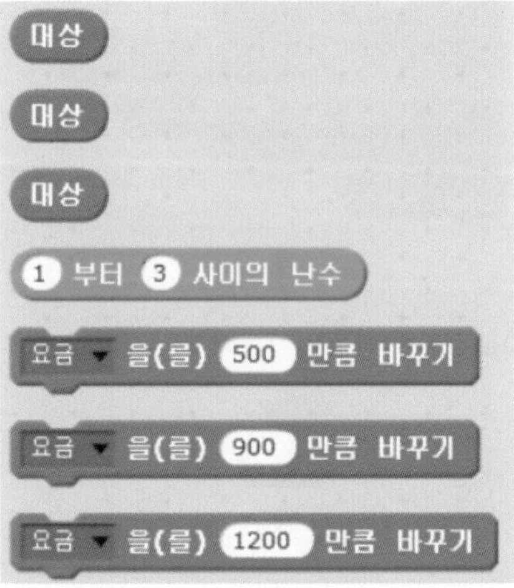

보기블록
</td></tr>
</table>

문제	답안 및 풀이

고양이

매개변수
데이터
연산

TIP
'N 나누기 2의 나머지가 0이 아니다' 즉 홀수를 의미함.
'N 나누기 3의 나머지가 0 이다' 즉 3의 배수를 의미함.

고양이

정답

보기블록에 주어진 블록을 이용하여 아래와 같이 작성합니다.
작성한 블록은 왼쪽 마우스를 누르면서 고양이 스프라이트로 드래그하면 복사됩니다.

TIP
$10! = 10 \times 9 \times 8 \times 7 \times 6 \times 5 \times 4 \times 3 \times 2 \times 1$

보기블록

문제5

문제6

문제	답안 및 풀이
	고양이
문제7	보기블록에 주어진 블록을 이용하여 아래와 같이 작성합니다. 작성한 블록은 왼쪽 마우스를 누르면서 **고양이** 스프라이트로 드래그하면 복사됩니다. 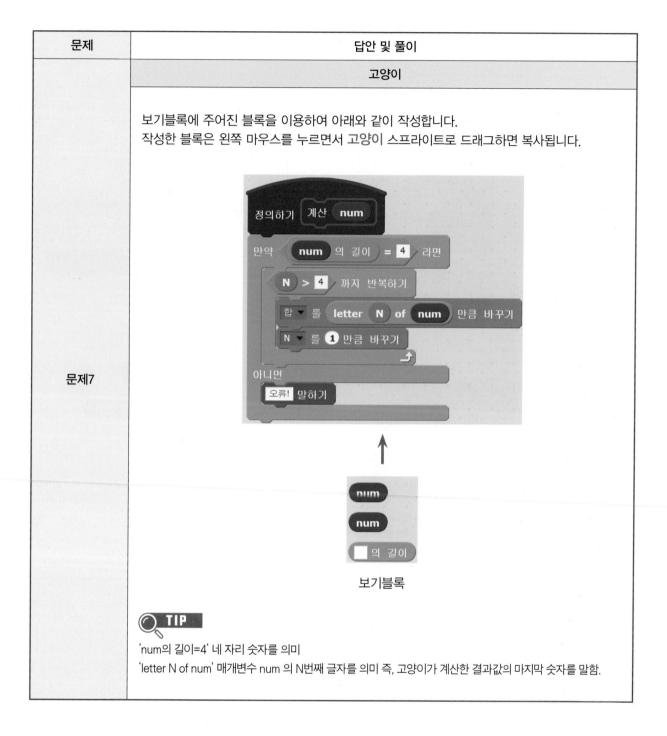 보기블록

TIP

'num의 길이=4' 네 자리 숫자를 의미
'letter N of num' 매개변수 num 의 N번째 글자를 의미 즉, 고양이가 계산한 결과값의 마지막 숫자를 말함.

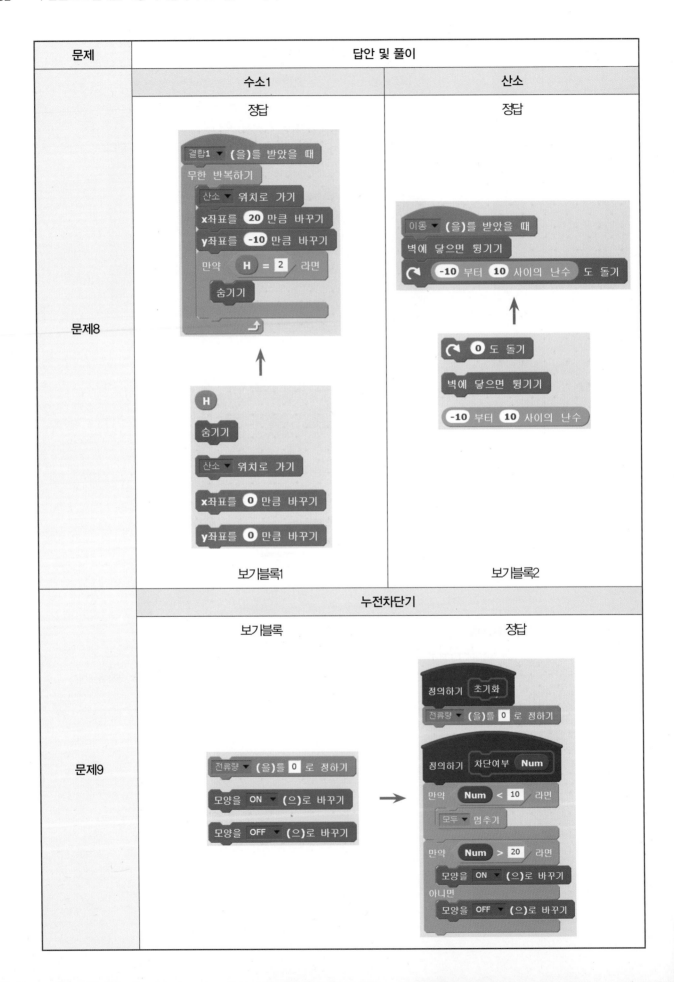

문제	답안 및 풀이
	고양이
문제10

↓

2를 1로 수정
키보드를 이용하여 직접 입력 |

최신기출문제 5회 풀이

문제	답안 및 풀이
	고양이

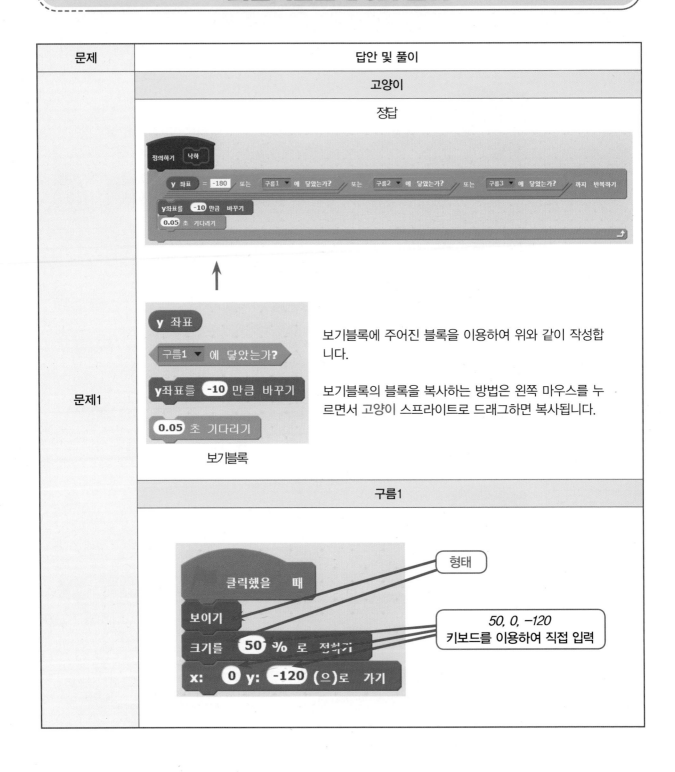

정답

보기블록에 주어진 블록을 이용하여 위와 같이 작성합니다.

보기블록의 블록을 복사하는 방법은 왼쪽 마우스를 누르면서 고양이 스프라이트로 드래그하면 복사됩니다.

문제1

구름1

형태

50, 0, −120
키보드를 이용하여 직접 입력

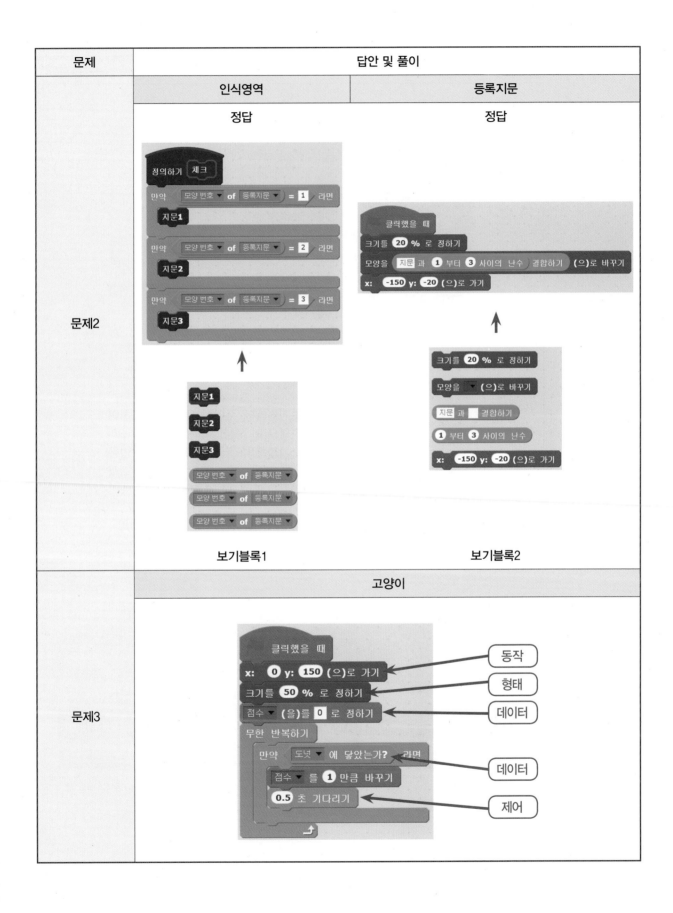

문제	답안 및 풀이	
	인식영역	등록지문
	정답	정답
문제2	보기블록1	보기블록2
문제3	고양이	

문제	답안 및 풀이
	도넛
문제3	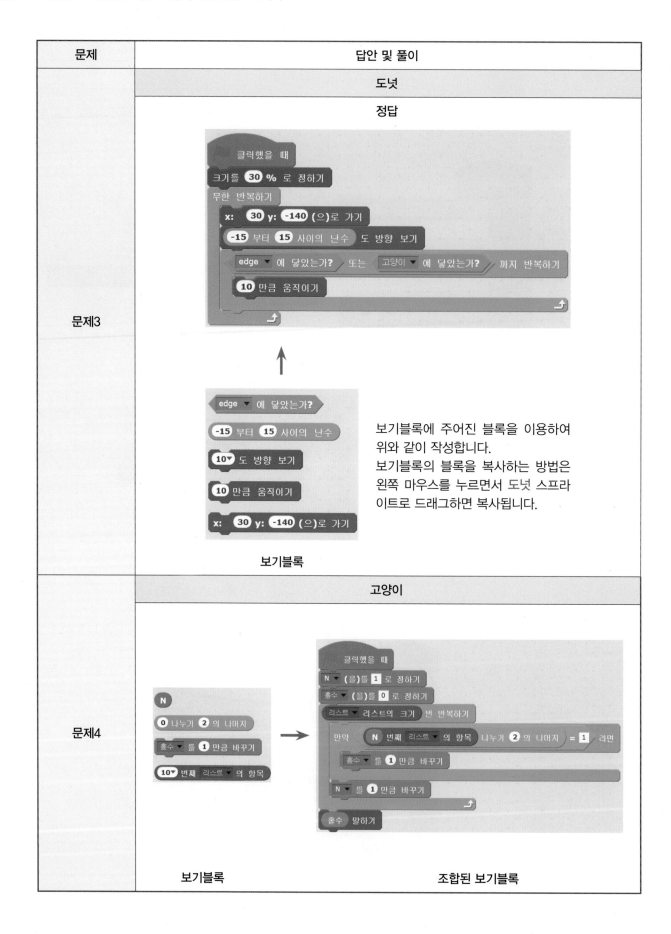
	고양이

문제	답안 및 풀이
문제5	고양이 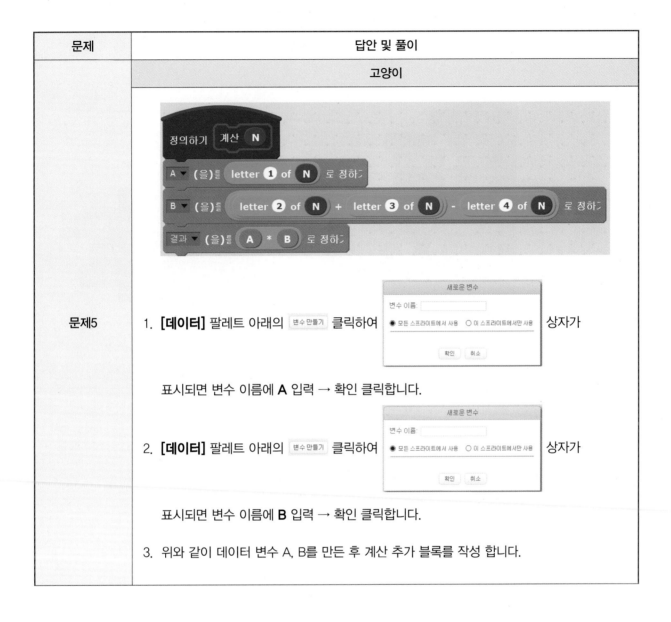 1. **[데이터]** 팔레트 아래의 변수 만들기 클릭하여 ~~~상자가 표시되면 변수 이름에 **A** 입력 → 확인 클릭합니다. 2. **[데이터]** 팔레트 아래의 변수 만들기 클릭하여 ~~~상자가 표시되면 변수 이름에 **B** 입력 → 확인 클릭합니다. 3. 위와 같이 데이터 변수 A, B를 만든 후 계산 추가 블록을 작성 합니다.

	고양이
문제6	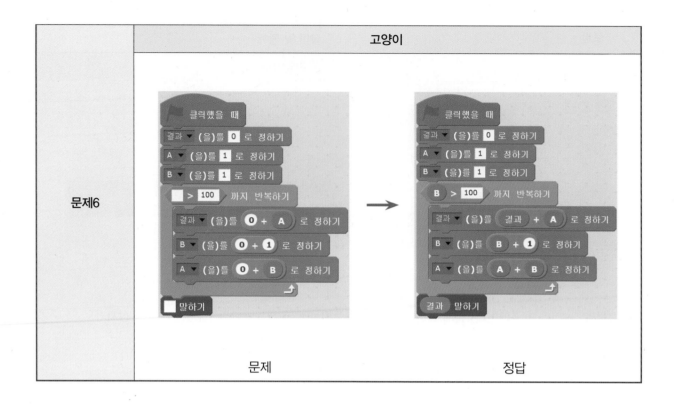 문제 → 정답

문제	답안 및 풀이
	고양이

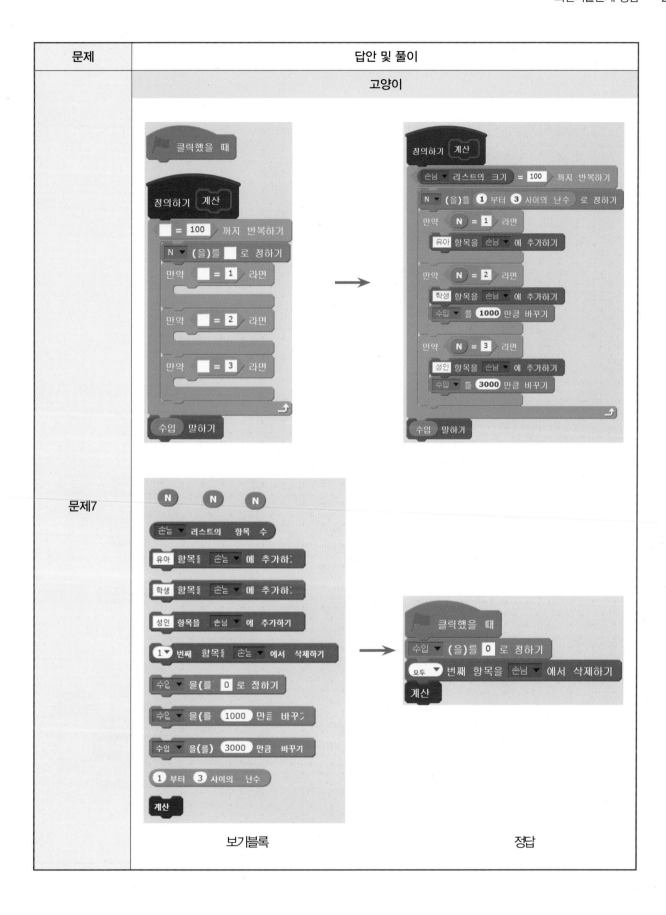

보기블록

정답

문제7

문제	답안 및 풀이
문제8	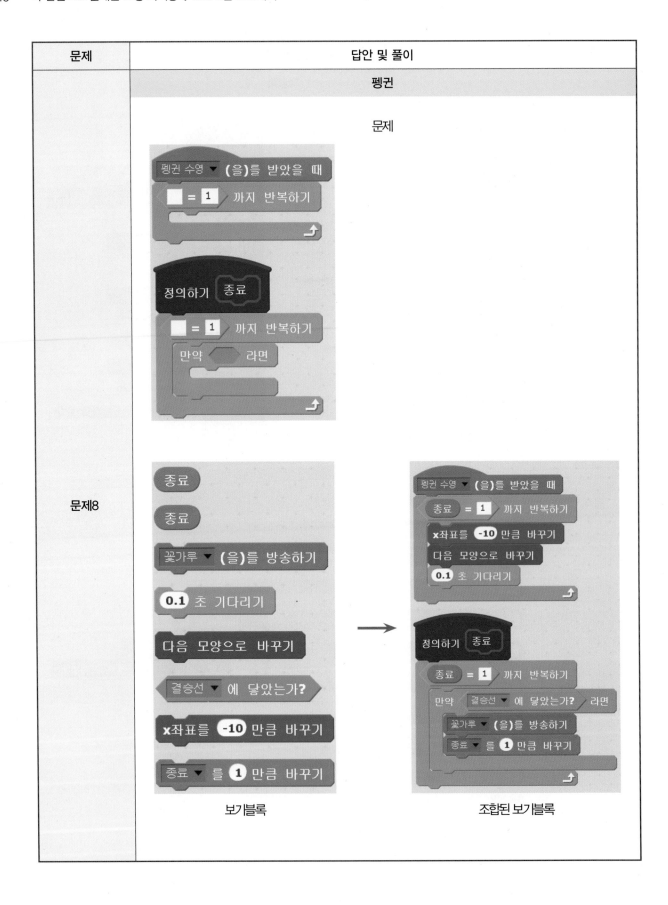

펭귄

문제

보기블록

조합된 보기블록

문제	답안 및 풀이
	고양이
문제9	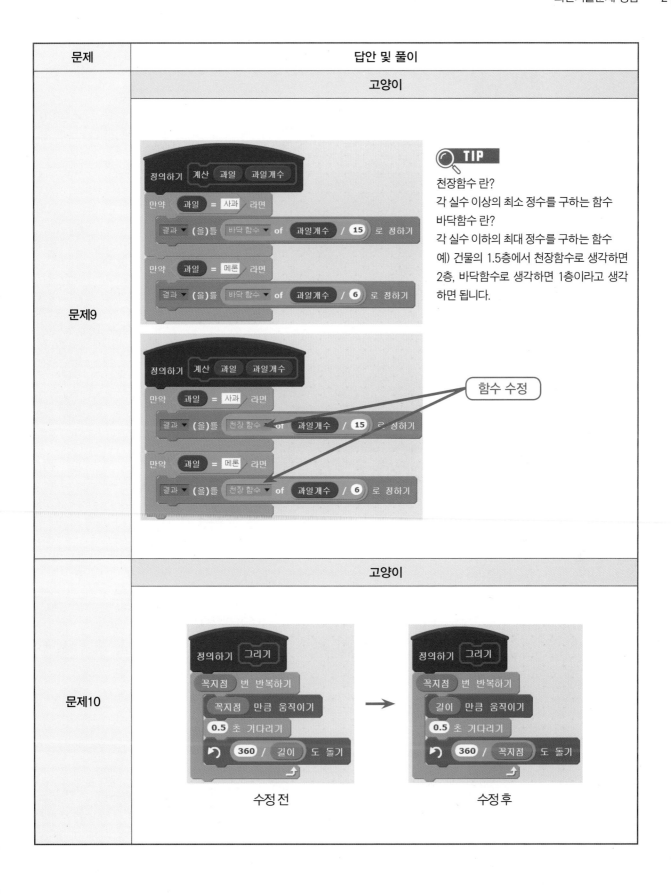
	고양이
문제10	